星海社
FICTIONS

ステイホームの密室殺人 1

コロナ時代のミステリー小説アンソロジー

織守きょうや
北山猛邦
斜線堂有紀
津田彷徨
渡辺浩弐

星海社

はじめに

この『ステイホームの密室殺人』というアンソロジーが
いかにして生まれたのか？

その疑問にもっともストレートにお答えするために、
編集者から小説家へと宛てた依頼文を、以下、
一言一句変えずそのままを記載いたします。
文芸の、そしてミステリーの魔力に満ちたこのアンソロジーを、
どうか心ゆくまでお楽しみください。

あの4月7日の緊急事態宣言から「ステイホーム」のかけ声とともに、僕たちの日常は一瞬で変わってしまいました。

今まさに危ういバランスの中で、日常の中の非日常、非日常の中の日常とも言える奇妙な日々を、日本人が、そして世界の人々が送っています。

この、これまでにない混沌に満ちた光景も、今を生きる僕たちひとりひとりの努力を通じた事態の収束とともに、いつかきっとなつかしい記憶になっていくでしょうし、また、そうなっていかねばなりません。

しかし、それらの日々が記憶になってしまう前に、文芸が、そしてミステリーが果たすべき役割は必ずあるはずです。

この2020年春の大いなる日常と非日常の日々を舞台として、「ステイホームの密室殺人」をテーマに、ミステリーの王道である、フーダニット、ハウダニット、ホワイダニットを存分に描いていただきたいと思います。

「ステイホーム」のかけ声とともに始まった、新しい日々の状況下にふさわしい新しいトリックや新しい殺意や新しい不可思議な事件、新しい探偵や新しい犯人像が、きっとあるはずです。また、それらはまさにこの時代にしか存在し得ない徒花的な存在であるからこそ、かえって人間という生きものの本質を描くこともできるはずだと思います。

時代と切り結ぶ皆さんの熱筆を楽しみにしています。

星海社　太田克史

Book Design　円と球
Font Direction　紺野慎一

夜明けが遠すぎる

織守きょうや

織守(おりがみ)きょうや

1980年、イギリス・ロンドン生まれ。
デビュー作から始まる〝霊感検定シリーズ〟（講談社）のほか、
日本ホラー小説大賞・読者賞を受賞した『記憶屋』
（角川ホラー文庫）などの著作がある。

深刻に金がない。

アルバイト先のパチンコ店は、新型コロナウイルスの影響で休業中だ。

何年か前までは、いわゆるオレオレ詐欺の掛け子や受け子をやって、結構儲けさせてもらったが、取り締まりが厳しくなり、そう簡単には稼げなくなった。数を打てば引っかかる人間はまだまだいるが、主なカモである高齢者たちは以前より警戒しているし、中には、騙されたふりをして警察に連絡する者もいる。

百人に電話をかけて、一人でも引っかかれば元がとれるので、当分このビジネスは廃れないだろうが、結局儲かるのは、切り捨てられるしっぽをたっぷり用意できるでかい組織の、上のほうにいる人間だけだ。今や、末端の人間が受け取る額は大したことがない。リスクを考えれば、割に合わない。

特に、カモから金を受け取りに行く受け子はリスクが高かった。半年前に頼み込まれて久しぶりに受け子をやったら、待ち合わせ場所に警察が待ち構えていたことがある。金を受け取る前に逃げたのでつかまらずに済んだが、危ないところだった。あの仕事を振ってきた知人とは、それきりだ。

そんなわけで金はない。

足を洗って真面目に働いていたのにこの仕打ち、この世には神も仏もない。

生活にも困っているところに、悪いことは重なるもので——いや、こういう時期だからこそか。三か月ぶりに、最悪の電話がかかってきた。

『コロナで仕事がねえんだよ。またちょっと助けてくれよ、五万でいいからさ』

俺はもうかれこれ三年近く、この男に恐喝されている。

だから金はないって言ってるだろ。


恐喝者の名前は吉田という。俺が以前、オレオレ詐欺をしていたとき——掛け子も受け子も全部自分でやれば丸儲けだと考えて、初めて一人でやってみたときだ——電話をかけた相手が、「詐欺では」と気づいて相談したのが吉田だった。俺にとっては運の悪いことに。のこのこと被害者宅に金を取りに行った俺は、待ち伏せされてボコられた。どちらが被害者だかわからない。有り金を渡して許してもらったら、それ以来、金をせびられるようになった。

吉田は俺のかけた詐欺電話を録音していた。

詐欺は未遂に終わったし、声だけで逮捕されることはないだろうが、吉田の証言とセットで警察に提出されればアウトだ。俺は吉田に顔も名前も住所も知られている。

吉田が俺にせびる金は、たいてい一度に二、三万、多くて五万くらいだ。刑務所行きよりはましだ、と思える程度の金、ちょっと無理をすれば払えなくはない額を毎回せびられる。

しかし今回は、本当に無理だ。食費やら何やらを多少削っても、吉田に渡せるような金は作れない。

バイト先のパチンコ店もいつ再開するかわからないし、もう、この際、夜逃げでもするか。吉田は俺を金蔓（かねづる）だと思っているだろうが、引っ越した先まで捜して追いかけたりはしないだろう。そこまでするほど太い蔓でもない。ああでも、逃げられた腹いせに警察にたれ込まれたらおしまいだ。そうなった場合は吉田の恐喝も白日の下に晒（さら）してやるつもりだが、あいつは恐喝の証拠を残していないはずだ。金はいつも現金を手渡していたし、連絡は電話か、家や職場に直接会いに来ていた。警察に訴えても、あいつを道連れにできるかすらわからない。

結局、借りてでも金を工面するしかないのだ。

俺がスマホで消費者金融のサイトを見ていると、深見（ふかみ）が酒を持って訪ねてきた。

「ちーっす、安達（あだち）さん元気っすか。生きてますか」

俺を一目見るなり、うわ、目の下隈（くま）すごいっすよ、と失礼なことを大声で言う。

どうやって金を作ろうと考えていて、昨日はあまり眠れなかったのだ。

俺が、「うるせえな」と返すと、深見はかかとのつぶれたスニーカーを脱ぎながら、少しも悪いとは思っていなそうな顔で「すんません」と謝った。

「いいじゃないすか隈、むしろアリ寄りのアリっつうか。若白髪(わかしらが)とあいまって何かこう、陰のある男的な」

「適当なこと言いやがって……」

「いやいやマジな話。まあそれはそうとして」

差し入れっす、と言って、深見は両手に提げたレジ袋三つを畳の上に置く。

プラスチックの袋が破れそうなほどの量の酒。俺がよく飲んでいる缶の発泡酒ではなく、瓶入りの酒だ。日本酒と洋酒が入り交じっている。

つまみは別の店で買ったらしく、色の違う袋だった。

「居酒屋の店頭で投げ売りしてたんすよ。豪華っしょ。あ、いっぱい買ったらおまけにマスク二枚くれました。安達さん使います？」

「酒より家賃払ってくれよ。無駄にいい酒飲んでる場合じゃねえんだよ」

いいっすよ、と深見は気楽に応じる。

深見は俺より五つか六つ年下で、まだ二十代半ばのはずだ。その割に最近羽振りがいい。見るからに軽薄そうだが顔が小さくて今どき風のルックスだから、小遣いをくれる金持ちの女でもつかまえたのかもしれない。

「おまえまたやばいバイトしてんじゃないだろうな」

「してないっすよ、ザーヤク系は懲りましたって」

深見は笑いながらブラックペッパー味のポテトチップスの袋を開ける。

深見は以前、出会い系サイトの名を借りた詐欺サイトの、サクラのバイトをしていた。どこかから流出した名簿を見て一斉に送ったメールの一通が俺のスマホに届いて、それがきっかけで知り合った。

正確に言えば、送られてきたのは「五千万円を受け取ってもらえませんか?」という、あほみたいな文言の詐欺メールだった。それに返事をすると、未亡人という設定のサクラからメールが届き、やりとりをするうちに有料出会い系サイトに誘導されるというのがパターンだった。俺は、そのやり口を知っていた。自分も以前似たようなバイトをしたことがあったからだ。

無視していればメールは来なくなるとわかっていたが、暇だったので返事をしてみた。サクラは、どんな内容でも相手からメールが返ってきたら、返事をしなければならない。そういうルールなのだ。「そのバイト始めて長い?」「男?」「俺も同業なんだけど、儲け話に乗る気ない?」そんなやりとりを経て、俺と深見は個人的に連絡をとりあうようになった。俺としては、ちょっとした小遣い稼ぎのつもりだった。

俺は騙された被害者の代理人を名乗って、深見の勧める、詐欺サイトの運営事務所に乗り込んだ。事務所の場所や、実際には顔も知らない「被害者」の情報は、もちろん深見から入手した。

俺は、告訴はしない、という約束と引き換えに、実在する本物の被害者のかわりに詐欺事務所から三百万円の返金を受けとり、深見と山分けした。

後でそれがバレて、深見はバイト先でリンチにされたが、俺が通報してやったおかげで、打撲とあばらと指の骨折だけで済んだ。俺が通報したのは、逃げている途中の深見から「助けてくれ」と電話がかかってきたから、その履歴を見られて詐欺事務所に俺のことまでバレては困ると思ってのことだったのだが、深見は俺を恩人だと思っているようだ。それ以来、妙になつかれてしまっている。

居酒屋が軒並み休んでいるので、缶じゃない酒を飲むのは久しぶりだった。しょぼいつまみと豪華な酒で、午前三時過ぎまで飲んだ。宅飲みだと終電を気にする必要もないし、翌日バイトがあるときはできなかったような飲み方ができる。

酒瓶が三本空いたあたりで、もうそろそろ眠気も来て、色んなガードがさがって、俺はこれまで誰にも話したことがなかったのに、吉田に恐喝されていることを深見に話してしまった。

「俺、一生あいつにたかられんのかな」

特に、深見に心を開いているなんてことはない。酒のせいだ。どこかに吐き出したかった。

自分を慕ってくる相手にこういう弱音を吐くのはみっともないという思いはあったが、その一方で、こう言えば深見は吉田に渡す金を貸してくれるかもしれないという打算もあった。

あー、情けねえ。

深見は黙って聞いていたが、やがて、安物のガラスコップをちゃぶ台の上に置き、

「そいつ、殺しましょ。ていうか、殺しますよ、俺」

真剣な顔で、そう言った。

＊＊＊

深見は、吉田とはまったく接点がないから、動機の面から疑われることはない。証拠さえ残さなければ、安全圏にいられるはずだ。だから、実行犯には深見がなる。まず俺が、人気のない場所へ吉田を呼び出し、深見が殺す。その間、俺はコンビニの防犯カメラにわざと映ったり、人と会ったりして、強固なアリバイを作っておく。皆が外出自粛(じしゅく)を求められているこの時期だからこそ、誰かに会えば、強く相手の印象に残るはずだ。

俺と吉田の関係が発覚して疑われても、アリバイがあれば問題ない。

ほとぼりが冷めるまで、俺と深見は互いの連絡先やこれまでのやりとりをスマホから消去しておき、どちらかが取り調べを受けることになったとしても、互いの関係がわからないようにして乗り切る——というのが、深見の計画だった。

「何かあって疑われたときのために、俺もアリバイ工作するんで大丈夫っす。今流行りのオンライン飲み会、わかります？　俺も参加したことあって、それで思いついたんすよね。バーチャルの背景を設定すれば、犯行現場にいても、飲み会に参加できるんすよ。飲み会参加者たちには自室にいると思わせて、アリバイいっちょあがりっす」

ガバガバの計画だ。俺はまあいいとして、深見のアリバイ工作はひどい。そんな百人中九十七人が思いつきそうなトリックで警察がごまかされるはずがない。

しかし、深見の言うとおり、現場に証拠さえ残さなければ、被害者と接点のない深見は疑われもしないだろう。そもそも捜査線上に浮かばないなら、アリバイの有無は問題にならない。

いけるかもしれない、と思った。少なくとも、俺にとって悪い話ではない。

俺は深見の計画に乗ることにした。

もう、吉田に金を渡し続けるのはうんざりだった。

幸い、外出自粛期間中で、町に人通りは少ない。「いい感じに無人っす」と深見が教えてくれた、建設中の——工事は中止している——スポーツジムの駐車場に、俺は吉田を呼び出した。俺の仕事はそれで終わりだ。

後は、休業中のバイト先に電話をかけ、店のロッカーに忘れ物をしたかもしれないと嘘をついて、店長に鍵を開けてもらい、ばっちり顔を合わせてアリバイを作った。吉田との待ち合わせの時間に合わせて、たっぷり十五分かけて忘れ物を捜すふりをして店長と別れ、その後はコンビニに立ち寄って時間をつぶす。その間ずっとドキドキしていたが、後でカメラの画像を確認されたとき不審に思われないよう、なるべく自然に行動するよう心掛けた。

あちこちのカメラに映るために、一時間ほどかけて寄り道をして、家に着いてすぐ、電話がかかってきた。着信画面には「公衆電話」と表示されている。

『安達さん、終わりました！　奴のスマホもバッキバキの粉々にして海に捨てといたんで、ばっちりっす。録音されたデータ消しとこうと思ったんすけどパスワードとかわかんなかったんで、スマホごとやっときました』

これからしばらくは、連絡しないでおきますね、と深見は明るい声で続けた。

『安達さんも、スマホから俺の番号とか消しといてください。俺も消しました。大丈夫っす、番号は覚えてるんで』

犯行の態様や、吉田の遺体が今どういう状態なのか、自分は今どこにいるのか、深見は詳細を何も言わなかった。

　人一人を殺した直後にしては、いつも通りのテンションで、本当にやったのかと疑いたくなるほどだ。

『あ、ロッカーの中身、お願いしますね。保管期限があるんで、ちょいちょい行って一回開けて、小銭追加しといてください。俺行けないんで。俺がチェックに行って、そこでつかまったら意味ないんで』

「それはいいけど」

　万一自分が警察に疑われたときのため、と言って、深見は私物の一部をコインロッカーに隠していた。鍵は俺が預かっている。

　深見がつかまったとしても、深見の家に俺につながる証拠はないし、俺の手元にある深見につながるものも、この鍵だけだ。いざとなったら、小さな鍵くらいどうとでもできるし、俺にはアリバイもある。

　俺は安全だ。しかし、深見は、どこで誰に犯行を見られているかわからないし、現場に落とした髪の毛一本から疑われるかもしれない。

　助かった、と感謝する気持ちより、疑問が先に来た。

「なんでおまえがそこまですんだよ」

　深見にとって吉田は、利害関係のまったくない、赤の他人だ。そして、俺だって他人だ。

殺してくれると言うから乗っかったが、そもそも深見には、他人のために別の他人を殺す理由がない。

純粋に疑問、というより不審に思って訊くと、「愛っすよ愛」とおもしろくもない冗談を言う。

『俺、安達さんのことはマジカッケーって思ってるんで。詐欺グループから逆に金とってやろうとか、普通考えないっすよ。超リスペクトっす。今回も、共犯関係とか、むしろ、光栄って感じっすよ』

深見はいつもの調子でそんな風に続け、俺の返事も待たずに、「じゃ、二、三か月様子みていけそうだったらまた連絡しますんで」と言って電話を切った。俺は無頼漢でも何でもないのだが、深見の中では大分美化されているらしい。

翌日、部屋でテレビを観ていたら、吉田が刺殺されたとのニュースが流れた。

＊＊＊

二、三か月後に連絡すると言われていたが、それどころか、一週間もしないうちに深見は逮捕された。

目撃者がいたのか、現場に何か証拠を残してしまったのか、よくは知らないが、日本の警察は馬鹿じゃなかった。一度疑われれば、「オンライン飲み会に参加していた」などというちゃちなアリバイトリックが通用するはずもなく、あっというまに深見は起訴された。

ニュースで観る以上の情報は入ってこないが、深見は罪を認めているらしい。「道端でぶつかって口論になり、もみ合いになったあげく、護身用に持っていたナイフで刺してしまった」と述べているそうだ。自粛疲れのストレスからの犯行、という趣旨の報道がされていた。

「何か月も自宅に閉じ込められていたら、おかしくなっちゃう人も出てきますよね」

「こういう事件は、増えてくるかもしれません。一人で孤独なステイホームもそうですけど、家族と同居してる人だってね、四六時中顔つき合わせてて、逃げ場がないとね……」

ワイドショーのコメンテーターが、炎上しそうなことを言っていた。

一か月もすれば裁判が行われ、深見はまず間違いなく有罪になるだろう。

俺のところに、警察は来なかった。深見は俺の存在について口をつぐんでいるということだ。

吉田のスマホの通話履歴をキャリアに照会すれば、俺との通話の記録が残っているはずだが、深見自身が自白しているうえ、それを裏づける客観的証拠も充分あるため、被害者の生前の通話履歴まで深掘りする必要はないと判断されたのだろう。

俺は深見に守られた、ということになる。

せめて、と思い、深見に頼まれたコインロッカーには、三日に一度小銭を足しに行っていたが、深見が刑務所にいる間中そのままにしておくわけにはいかない。小銭とはいえ、何か月も払い続けていれば馬鹿にならない額になる。

俺は、深見が起訴されたという報道を機に、ロッカーの中身を引き取りに行くことにした。

人気のほとんどない駅の裏手にあるロッカーを開けると、中には安っぽいスポーツバッグが詰め込まれていた。

自宅に持ち帰り、畳の上に中身をぶちまけると、ちっぽけなUSBメモリと、スマホ用のSDカードと、輪ゴムでまとめられた札束が二つ、それに、ブランドものの財布が出てくる。

SDカードを俺のスマホに差し込んで中のデータを見ると、俺とのメールやメッセージアプリでのやりとりがどっさり入っていた。「メール」「写真」と、こまかくフォルダ分けされている。

警察に部屋を捜索されたときのことを考えて、俺とのつながりがわかってしまうようなデータは全部取り出しておいたらしい。つまり深見のスマホにはもう、俺に関するデータは残っていないということだ。見上げた忠義心だった。

元バイト先でのリンチから助けられたことに、よほど恩を感じているのだろうか。俺は電話一本かけただけなのに。

それにしても、見られて困るメールなんて消去すれば簡単なのに、全部とってあるのか。変なやつだな、と思いながら、俺は「メール」フォルダを閉じた。

その横にあった「写真」のフォルダを何気なく開いてみると、ずらっと画像ファイルが表示される。

その量にぎょっとしつつ適当な一枚を開いてみると、ＳＮＳのスクリーンショットだ。見覚えがあると思ったら、俺のアカウントだった。なんとなく作ったものの、もう一年以上放置しているものだ。ラーメンを食ったとか、仕事でむかついたとか、どうでもいいことしか書いていない。

次のファイルも、その次のファイルも、その三列下のファイルも、俺のＳＮＳのスクリーンショットだった。中身のない数行を撮った画像が、フォルダ内を埋め尽くすほど並んでいる。あまり使っていなかったＳＮＳだから、もともと発言の数自体大したことはないが、どうやらそのすべてを保存しているらしい。

見られて困るようなことは何も書いていないが、監視されているようでいい気はしない。いや、事実、監視されていたのではないか。

動悸が激しくなっていた。

フォルダ内をスクロールすると、下のほうには、スクリーンショット以外の画像もある。

開いてみると——予想はしていたが——俺の写真だ。次々ファイルをクリックして開いていけば、ずらりと写真が並んだ。酔っ払った深見の自撮りにつきあわされ、二人で写っているものもあるが、中には、いつのまに撮られたのかわからない、俺一人の写真もあった。

なんだこれ。ストーカーか。

さすがに引いた。

俺のために一円の得にもならない犯罪を犯したうえ、一人で罪をかぶってくれた深見に対して、こんなことを思うのは薄情かもしれないが、正直言って、気味が悪い。

殺しましょ、と言ってそれを実行できてしまうほど、深見がやばい人間だということは今回のことでわかった。嫌われても好かれてもろくなことにならない、そういうタイプの人間だ。

そんな人間に、俺は、どうやら執着されていたらしい。

そして、俺はあいつに、一生返せない恩を背負うことになったのだ。

今は俺に好意的でも、裏切られたと感じたら、ああいう奴は、何をするかわからない。殺人までして尽くしてもらって、俺のほうから何となく距離を置いてフェイドアウト、というわけにはいかないところだった。深見は俺に恩を着せるようなことは言わなかったが、もし今回逮捕されていなかったら、いつか吉田よりもやっかいな人生の重荷になっていたかもしれない。

俺はトリハダのたった腕をさすり、開いたファイルを全部閉じた。

――まあ、しかし、殺人罪で有罪になれば、当分は出てこられないだろう。もう会うこともない。俺に実害が出る前にサヨナラできたのは、お互いのためによかった。あいつも、少なくとも今は、俺の幸せを望んでいるはずだ。友情に乾杯。ありがとう、おまえのぶんまで俺は幸せになるよ。

俺はもう二度と会うことのないだろう友人と、友人のまま別れられたことをありがたく思いながら、ＳＤカードとＵＳＢメモリ内のすべてのデータを削除する。

念には念を入れ、データを消して空っぽになった記録媒体自体も、踏んで壊して一度水没させ、燃えないゴミに出した。スポーツバッグは別の日に、燃えるゴミに出すことにする。ちゃんと分別しておかないと、持って行ってもらえない。

残るは、札束と財布だ。金の出どころはわからないが、ろくな金ではないだろう。深見がやたら羽振りがよかったのはこの金のせいか。

見るからに高級そうなブランドものの財布も、深見のものとは思えない。中を見ると、五万くらい入っていた。クレジットカードと免許証も入っていたが、持ち主は知らない顔と名前の、俺と同年代の男だった。

足がつきそうなものは早く手放すに限る。金だけ抜いて財布は捨てようと、紙幣を引っ張り出したとき、間に挟まっていたメモのようなものがひらりと落ちた。

家電量販店の名前が見えたのでただのレシートかと思ったが、見れば予約商品の引換券だ。商品は、去年発売されたが品薄が続いている超人気ゲーム機で、料金は支払い済、と書いてある。緊急事態宣言を受けてさらに需要が増し、転売すれば倍以上の値段がつく品だ。

目の前には札束があるが、金というのは、使えば減るものだ。いくらあってもいい。

俺は似合わない財布をぺらぺらの上着のポケットに突っ込み、家を出た。

家電量販店は、テーマパークの土産売り場かと思うほど混んでいた。ステイホームはどうした。自粛期間が長引いて、皆退屈に耐えられなくなったのか、気が緩んでいるのか。

俺は普段足を踏み入れることのないゲームの販売階へ行き、引換券を渡して商品を受け取った。かなり前の日付の預かり証だったからか、本人確認のため身分証の提示を求められたが、別人の免許証を出しても何も言われなかった。店員は次から次へと客をさばくのに忙しく、まして誰も彼もマスクをしている今、いちいちまともに顔の確認なんてしない。

俺は商品を受け取ったその足で、営業再開したばかりのリサイクルショップへ行き、思惑通りの金額でゲーム機を買い取ってもらった。ここでも身分証を提示したが、何も言われなかった。

手元には十万円以上の現金があり、家に帰れば札束もある。これからはもう、吉田にかすめとられる心配もない。じわじわと実感がわき、俺は幸せをかみしめる。
自粛期間はもうじき明ける予定だが、延長しないとも限らないし、収入が安定するにはまだ時間がかかるはずだ。降って湧いた幸運に浮かれて、湯水のように金を使っていては、後で泣くことになるとわかっているが、深見の尊い犠牲のおかげで手に入った自由を、少しくらい楽しんでもいいだろう。

俺は目についたテイクアウトの店に入り、値段も確認せずに好きなものを好きなだけ注文した。酒はまだ、深見が買ってきたものの残りが少しあるが、コンビニで買い足して帰ろう。

他人の財布から金を払いながら、ふと、この財布もリサイクルショップで売ればよかったかなと気がついたが、盗品は足がつく可能性もある。もったいないが、売るより捨てるのが賢明だ。これ以上持ち歩くのもやめたほうがいい。

帰り道、金を抜きとった後の財布は公園のゴミ箱に捨てた。

これだけ上等な酒とつまみがあれば、宅飲みも悪くない。明日の心配をしなくていいなら、仕事が休みなのも歓迎だ。ステイホーム万歳。

俺の出した燃えないゴミは問題なく回収され、翌日の燃えるゴミの日に出したスポーツバッグも、無事回収車に放り込まれるのを確認した。

これで、俺と深見をつなぐ証拠は何一つ残っていない。

後は、深見が俺のことを警察に漏らさないよう祈るばかりだった。まあ、もしも深見が俺に頼まれて殺したと言い出したとしても、それを裏づける客観的証拠はもはやどこにもないわけだが。

俺はそれから数日、政府の要請に従い、家から一歩も出ずに数日を過ごした。

テレビでは、外出自粛の影響でＤＶや離婚が増加したと報道がされている。わからなくもなかった。仲のいい夫婦や親子でも、何か月もの間、毎日一緒にいれば、互いの粗も見えてくるだろう。先の見えない状況下、互いしかストレスをぶつけるものがないとなったら、関係が悪化するのも当然だ。

その点独り身は気楽でいい。最近はあちこちの飲食店がデリバリーシステムを導入して、ラインナップが充実しているので、不自由は何もない。動画配信サービスにも加入した。初月は無料なので、今のうちに観られるだけ観ておくつもりだ。

畳に寝そべって人気ドラマのシーズン１最終回を観ながら、そろそろデリバリーのソースカツ丼が届く頃だな、と思っていたとき、呼び鈴が鳴った。俺は起き上がり、財布を持っていそいそと玄関へ向かう。

ドアを開けるとスーツを着た男たちが立っていた。

「安達友則さんですね」

彼らは俺に、警察手帳を見せた。

＊＊＊

ロッカーの中にあったブランドものの財布の持ち主は、殺されていた。

半年以上の間、犯人につながる手がかりはなかったそうだ。

俺が公園のゴミ箱に捨てた財布をホームレスが拾い、身分証が入ったままだったそれを警察に届けたことから、捜査は急激に進展した。

容疑者は俺だ。

殺害現場からなくなっていた現金と思われるものの一部が俺の部屋で見つかったこともあり、俺は、任意同行と数時間の取り調べを経て逮捕された。殺人ではなく、とりあえずは占有離脱物横領罪での逮捕だったが、殺人を疑われているのは素人の俺にでもわかる。

財布の出どころはもちろん言えない。現金も財布も、バッグごと拾った、と嘘をついたが、警察が信じていないのは明らかだった。

財布から深見の指紋が出たという話は聞かないから、犯行時には手袋をしていたか、後で指紋を拭きとるかしたのだろう。警察に、俺と深見とのつながりに気づかれたら、吉田の殺人についても疑われる。それは絶対に避けなければならない。何せ、そちらの殺人に俺が関与したことは事実なのだ。

留置場に会いに来てくれた国選弁護人にも、警察に対してと同じように、財布と金の入ったバッグは拾った、被害者には会ったこともない、と話した。弁護人はまあまあ真面目に話を聞いてくれたが、俺の話を信じたかどうかはわからない。

それにしても——と、俺は警察署の留置場で、昨日までのデリバリーから数段ランクダウンした弁当を食べながら考える。

深見の奴、吉田の前にも人を殺していたのか。邪魔な相手を「殺しましょう」なんて、妙に簡単に言うと思ったら。

俺は財布の持ち主の殺害には関与していないから、調べても証拠が出るはずはない。盗品を所持していた、というだけでは、有罪にはならないはずだ。いずれ、証拠不十分で釈放されるはず。それまでの辛抱だ。

しかし、俺の考えは甘かった。

占有離脱物横領での勾留期間が満期になるのと同時に、俺は殺人容疑で再逮捕された。

「このままでは、起訴されると思います」

アクリル板ごしに弁護人に言われ、俺は青ざめた。

日本の刑事裁判の有罪率は99・9パーセントだと、動画配信サービスで観たばかりのドラマで主人公が言っていたのを思い出す。

もうあと数日もすれば、殺人容疑での勾留も満期になる。つまり、起訴される。そうすれば、有罪率99・9パーセントの裁判が待っている。

やっていない、被害者には会ったこともない、と言い続けていたら、弁護人は、一応それを前提に俺を弁護する方針を固めたようだった。

俺に手帳のカレンダーを見せ、勾留状に書かれた犯行の日時にアリバイがないかを尋ねる。去年の十月三十日、水曜日の午後二時から四時の間。殺人容疑で再逮捕されるまで、正確な犯行日時は聞かされていなかったから、アリバイの確認もできなかったが、日付がわかったところで、半年も前に自分が何をしていたかなんて覚えていない。

「何か思い出しませんか？　ハロウィンの前日です。平日ですから、旅行に行っていたとかはないでしょうが、アルバイトのシフトが入っていたとか……ほかに、何か印象的なことでもあれば」

ハロウィンの前日。

言われて、はっと思い出した。

そうだ、あの日だ。幸か不幸か、印象的な出来事のあった日だった。半年前でも覚えている。

犯行が間違いなくその日なら、俺にはアリバイがあった。

「安達さん？　どうですか？」

「……はい。犯行時刻が、午後二時から四時の間……ってことは、この時間、別の場所にいたことが立証できたら、アリバイ成立ってことですよね」

「そうです。何か思い出しましたか？」

弁護人が、アクリル板の向こうで身を乗り出す。

立証。できるだろうか。別の場所にいたのは確かだ。奇跡的に、どこにいたのかも覚えている。それだけ印象的な一日だった。半年前では、証拠は残っていないだろうが、それでもアリバイとして認められるだろうか。

しかし、このアリバイが認められるということは……。

考えこむ俺に、弁護人は何か感じたのか、

「このままだと、間違いなく起訴されます。当日何をしていたのか思い出しても、その裏づけがなければ検察も裁判所もアリバイとは認めません。半年も前のアリバイの裏づけをとるには時間がかかります。何かあるなら今言ってくれないと、私も動けません」

真剣な表情で言った。

弁護人にはすべてを話してください、と最初に会ったときに言われている。信頼関係が大事なのだと。

弁護人が本気で俺の無実を信じているかは微妙なところだし、俺のほうにも隠していることが多すぎて、俺たちの間に信頼関係があるとは言えない。それでも今は、この弁護人だけが頼りだ。

俺はゆっくり息を吸って、吐いた。

その頃、俺は無職だった。今のバイト先は見つかっていなかった。金に困って、つい、もうやめようと思っていたやばい仕事に手を出したのだ。

「……その日なら、アリバイがあります」

腹を決めて告白する。

半年前、知人に誘われて、久しぶりに、オレオレ詐欺の受け子のバイトをした。金を取りに行き、警察に追われて逃げたのが、十月三十日、午後二時過ぎのことだった。

＊＊＊

そう簡単に半年前のアリバイの裏をとれるわけもなく、結局俺は殺人罪で起訴された。それ自体は仕方がない。逮捕されてから何日以内に起訴するか釈放するか決めなければならない、というのが法律で決まっているらしく、裏づけのとれていないアリバイ主張に基づいて「とりあえず釈放」とするわけにはいかなかったのだろう。

しかし、自白した半年前のオレオレ詐欺未遂のほうの捜査が進めば、いずれアリバイは証明できるはずだ。詐欺未遂罪では有罪になっても、殺人罪で無罪になるならいい。背に腹は代えられない。

　二つの事件は一緒に審理されることになるかもしれない。新型コロナウイルスの影響で裁判員裁判は何か月も後ろ倒しになっているから相当時間はかかるだろうが、その分、弁護側が証拠集めに時間をかけることもできる。無罪に向けて一緒に闘いましょう、と弁護人には言われている。

　オレオレ詐欺未遂について取り調べられるなら、まだしばらく留置場暮らしか、と思っていたのだが、収容人数の問題なのか、俺は警察の留置場から、拘置所へ移送されることになった。

　オレオレ詐欺のバイトをしていたころ、前科のある先輩から聞いたところによると、留置場よりも拘置所のほうが、飯の量も多いし、快適らしい。ただ、単独室でなく共同室に入れられた場合、同室の被告人たちとは一日中一緒にいることになるので、最初にきちんと挨拶をして、いい人間関係を築くのが肝心だと言われていた。

　まさか、そのアドバイスを活かす日が来るとは思わなかったから、そのときは適当に聞いていたのだが、人生何があるかわからない。

　同じ形の扉の並ぶ殺風景な廊下を歩きながら、制服姿の職員が日用品の購入や施設のことを説明してくれる。俺はまだ有罪になったわけではなく、未決勾留の身分なので、食事や睡眠などの決められた時間以外は自由に過ごしていいという。とはいえ、部屋からは当然出られない。強制的なステイホームで、テレビやパソコンやスマホもないから、手持ち無沙汰になりそうだ。贅沢(ぜいたく)は言っていられないか。

「今は裁判が停滞してて、部屋がいっぱいなんだ。裁判員裁判は、三月以降、全部止まってる状態だからな。共同室も満員で、単独室に二人で入ってもらうことになる」

「わかりました」

本来八人までを想定している共同室に、今は十人が収容されている状況だという。ソーシャルディスタンスどころの話ではない。それに比べれば、多少狭くても、二人で単独室に入れられるほうがましだ。同室の人間が暴力的でないことを祈る。

職員は扉の一つの前で足を止めた。

扉には小さな窓があり、廊下から中が見えるようになっているが、扉のすぐ近く、窓の下など、死角はありそうだ。鉄格子に網が張ってあるだけのスカスカな留置場の扉よりは、プライバシーが保たれる。

窓ごしに、部屋の真ん中に男が一人、こちらに背を向けて座っているのが見えた。先住者のようだ。

職員が機械的な手つきで開錠し、重そうな金属製の扉を開く。促されて俺が中に入ると、扉はすぐに閉まり、がしゃんと鍵のかかる音がした。

俺は窓ごしに職員に頭を下げ、さて、と室内に向き直る。

最初の挨拶が肝心だ。礼儀正しく。

振り向くと、いつのまにかこちらを向いていた「先住者」と目が合った。

「あれえ、安達さん」

畳の上にあぐらをかいた深見が、目を丸くして俺を見ていた。

「つかまっちゃったんすか？　俺、黙ってたのに」

凍りつく俺に気づく様子もなく、深見はまたたくまに笑顔になる。

何でここにこいつが、と思って、思い出した。

新型コロナウイルスの影響で裁判は先になるだろう、先に起訴された被告人も、かなりの人数が裁判を待っているから、何か月後になるかわからない——そう、弁護人が言っていた。裁判が遅れているのは俺だけじゃなかった。考えてみれば当たり前のことだ。

「どーぞどーぞ座ってくださいよ、狭いところっすけど。いやあ、思ってたより早く会えちゃいましたね。同部屋とかやばくないっすか？　運命って感じっすよね」

挨拶どころか、ろくに相槌（あいづち）も打てない俺を不審がる様子もなく、深見は、ぽんぽんと畳を叩いて笑いかけてくる。

もう二度と会うこともないと思っていたのに。

「俺の裁判、まだ始まってないんすよ。秋くらいになるんじゃないかって。まじかよコロナ死ねとか思ってたけど、おかげで安達さんと一緒になれたんだからラッキーだったんすかね」

今逮捕された人とか、もう年内は裁判無理じゃないすかね、まじ強制的にステイホームじゃないっすか、いつ終わるんすかねえ。

そう言って、深見はへらへらと笑う。その手で二人も殺しているとは思えないような、人懐っこい笑顔で。

背筋が凍り、目眩がして、俺は慌てて畳の上に膝をつく。

――何か月も閉じ込められていたら、おかしくなっちゃう人も出てきますよね。

――四六時中顔つき合わせてて、逃げ場がないとね。

ワイドショーのコメンテーターの声が、こんなときによみがえった。

強制的なステイホーム。ロックダウン。

絶対に出られない完全な密室で、二人きりで――あと、どれくらい？

また別の被告人が職員に連れられてきたらしい、廊下を歩く足音と話し声、それに続いて扉を開け閉めする音が聞こえる。向かいの部屋だろうか。

窓のほうを振り向いたが、俺の位置と角度からは、廊下の様子は見えない。

鉄の扉ごしに、がしゃん、と鍵の閉まる音が、やけに響いた。

すべての別れを終えた人

北山猛邦

北山猛邦（きたやま たけくに）

2002年、『『クロック城』殺人事件』（講談社ノベルス）で第24回メフィスト賞を受賞しデビューする。代表作として、デビュー作に端を発する『『瑠璃城』殺人事件』（講談社ノベルス）などの一連の〈城シリーズ〉などがある。

1

花束を捧げる相手はいつも死人だ。わたしは生きている誰かに花を贈ったことは一度もない。贈る相手もいないし、贈る理由もない。だから花は、わたしにとって別れの色。さよならの後に打つピリオド。そして二度と開くことのないページに挟んだ押し花。

五月の雨の降る日、わたしはクラスメイトに花を捧げた。彼女の住んでいたアパートは真っ黒に焦げて、一部の柱や梁だけを残し、かろうじてそこに立っているという有様だった。まるで焼け焦げた巨大な骸骨だ。その哀れな亡骸は、今はただ、雨に濡れてうずくまっている。

二階建て木造アパート六部屋のうち、出火元は二階の中央の部屋とみられている。クラスメイトの住んでいた部屋は、出火元の部屋からみて斜め下、一階の端に位置するが、火はアパート全体を包み込んだため、彼女の部屋も被害を免れられなかった。深夜の火事だったこともあり、彼女は寝ている間に煙に巻かれて亡くなったという。

アパートの脇に花束を置く。

彼女はたった一日だけ、クラスメイトだった。

わたしが転校生として教室に入ったその翌日から、全国一斉休校が始まった。世界中に蔓延し始めていた疫病の影響が、この海沿いの小さな町にも忍び寄っていた。

教室の席が隣同士になったことで、彼女とは何回か言葉を交わした。これからよろしく、とか、どこから来たの、とか、そういう他愛もない会話だ。気さくで飾り気のない、いい子だと思った。もちろんわたしは、それ以上彼女と関わるつもりはなかった。どうせすぐにまた、この教室から立ち去ることになっている。別れが定められている相手にかけるべき言葉を、わたしは未だに見つけられていない。

それでもこうして花を捧げにきたのは、ここで何が起きたのか知るためだ。

火災跡から発見された遺体は二つ。そのうち一体がクラスメイトで、死因は一酸化炭素中毒とみられている。

そしてもう一体は、火元となった部屋に住んでいた二十代の女性。彼女は発見時、火災による損傷が激しく、性別もわからないほどだった。しかも遺体には切断された痕跡があり、全部で十一の部位に分解されていたという。

つまりバラバラ屍体だったのだ。

火災の影響でバラバラになったとは考えにくい。出火した時点で、彼女はすでに何者かに殺害され、バラバラにされていたとみるべきだろう。

小さな田舎町で起きたこの陰惨な事件は、世間にはほとんど知られることはなかった。何故なら人々の関心は、世界に訪れる終末の兆しと、緊急事態を告げるニュースに向けられていたからだ。彼女たちの死は、カウントされない死に過ぎなかった。

アパートの周囲にひと気はない。多くの人は家から出ずに、この灰色の雨をやり過ごしているのだろう。人影も消え失せた静寂の中では、花束を包むフィルムに当たる雨音さえ、場違いのように騒々しく聞こえる。

わたしは建物の裏に回り、あらためて火災現場を覗いてみた。

屋根や二階が燃え落ちているため、六部屋あったはずの建物は、中央がごっそりとえぐられたように崩壊して、吹き抜けのホールのような状態になっている。ちょうどアルファベットのMの形だ。火災当時、ここに住んでいたのは被害に遭った二人だけで、他の四部屋はしばらく前から空き室だったという。

バラバラ屍体は焼け跡の中央辺りに散らばっていた。二階が崩落したせいで、屍体は文字通りバラバラに散らばっていたようだ。そのため、出火する前にどのような形で部屋に遺棄されていたのかはわからない。

何故、屍体はバラバラにされていたのか。

火災は殺人事件と関連があるのか。

そして誰が犯人なのか。

事件からひと月が過ぎてもまだ、何一つ真相は明らかになっていない。地元の警察署では、署員に感染者が出たため、捜査に支障をきたしているとさえ聞く。もはやこの廃墟に近づく者さえいない。

クラスメイトの部屋は全体が真っ黒に焦げて、上階の一部の崩壊により混沌としてはいるが、机やベッドなどの家具は形を留めていた。クラスメイトはそのベッドの上で発見された。彼女の遺体は、二階の住民ほどではないにしろ、全身が黒く焼け焦げて、無残な姿に変わり果てていたという。

あの日、別れ際に手を振る彼女の頭のうしろで、ポニーテールが揺れていたのを思い出す。

「今度はいつ会えるんだろうね」

それが彼女の云った最後の言葉。

もちろんわたしは、もう二度と会うこともないかもしれないと心の中で思っていた。彼女はどうだっただろう。世界を覆う闇はいずれ晴れ、これまで通りの日常が帰ってくると信じていたに違いない。

わたしは焼け跡に足を踏み入れようとして、ふと思い留まった。表の通りに、車のヘッドライトが射し込むのが見えたからだ。

嫌な予感がする。

その場を離れようと表の通りに出ると、さっきの車がすぐ目の前で止まった。雨と海風に煙(けむ)る暮れの薄闇を、ヘッドライトの灯が無遠慮に切り裂いている。少なくとも警察車両ではないようだ。わたしは警戒を強めながら、何事もなかったようにその横を通り過ぎようとした。

すると案の定、車から誰かが降りて、わたしを呼び止めた。

「ちょっと、君」

若い男だ。

聞こえないふりをして、そのまま歩き続ける。

男は諦めずに、水たまりを蹴ってわたしを追ってきた。

「ちょっと待ってよ」

男はわたしの目の前に回り込んで、道を塞ぐ。

痩せて背の高い、不健康そうな男だった。傘をささずに車から降りたせいか、たちまち長い髪が水死体みたいに顔に張りついている。

何か用？

口には出さずに、目だけでそう告げる。

男はたじろいだ様子で、ジャケットのポケットから名刺ケースを取り出した。そして濡れた手で名刺を取り出し、わたしに掲げて見せる。

そこには地元の新聞社の名前と『相葉(あいば)信二(しんじ)』という氏名が書かれていた。

わたしは首を横に振って、受け取りを拒否した。

「ああ、ごめん、あとで濡れてないやつ渡すから」彼はそう云って名刺をしまう。「君、ここで亡くなった高校生の知り合い？」

「いいえ」

そっけなく返して、わたしは立ち去ろうとする。

けれどすぐに思い直した。

新聞記者なら、事件のことを詳しく知っているかもしれない。学校という情報源が閉ざされ、町を行き交う地元の人間も消え失せた状況下で、わたしは事件の情報を手に入れるのに苦心していた。

わたしが足を止めると、相葉はほっとした様子で表情を和らげた。

「クラスメイトだった」わたしは云った。「ただし、ほとんど会話したこともないけど」

「今日はどうしてここに？」

「あれを」

わたしはさっき置いてきた花を指差した。それで察してくれたようだ。

「なるほど……亡くなった彼女について、何か知っていることがあれば教えてほしいんだけど。どんなことでもいいから」

「残念だけど、わたしは転校してきたばかりだから。本当に彼女についてはよく知らないの」

「それじゃ、彼女の印象とか、雰囲気とか、なんでもいいから教えてくれない？　記事にする時に、たった一言でも彼女の生きた姿を伝えられれば、読む人の胸に届くと思うんだ」

随分と青臭いことを云う。情報を引き出すための殺し文句だろうか。それとも単純に彼が青いだけだろうか。

「いいわ。でもその前に……傘をさしたらどう？」

「おっと、そうだね」彼は車のドアを開け、後部座席から傘を取り出す。「できれば喫茶店辺りでゆっくりと話を聞きたいところだけど、今は何処も閉店中だし……困ったな。わざわざ会社に来てもらうのも悪いし」

「それなら、あのバス停は？」

道路の先に見える屋根つきのバス停を指差す。

「ああ、あれならちょうどいい。お互い、距離も保てそうだしね」

わたしたちは歩いてバス停に移動した。

トタン屋根の下にベンチの置かれた田舎風のバス停だ。少なくとも雨はしのげる。ベンチに座ると、道路を挟んだ向こう側に海が見えた。灰色の空と水平線に境目は見当たらず、不吉な靄が壁のように周囲を取り囲んでいる。その壁の向こうの世界がすでに滅んでしまっていたとしても、不思議ではない。

「学校はまだ、休校中？」

相葉はベンチに座るなり、さりげなく切り出した。彼はいつの間にか口元にマスクをしていて、濡れた頭をハンドタオルでごしごしと拭っていた。

「それにしても、こうして誰かと直接話をするのは久々だな。今は取材もネットで済ますことが多くてね」

「アパートで起きた殺人事件を調べているの?」

「ん? ああ、そうだね」そう云って相葉は道路の先に見える焼け跡を見つめる。「事件のことは知ってる?」

「ええ、それこそ新聞に書かれている程度のことなら」

「こんな事件、初めてだよ。ここは殺人事件なんてめったに起こらない町だ。少なくとも僕が新聞記者になってから、人殺しは一件もなかった。それがよりによって、こんな状況で、信じられないような事件が起きてしまった。いや、こんな状況だからこそなのかもしれないけど……」

「わたしのクラスメイトは、事件に巻き込まれてしまったのかしら」

「それはまだ……よくわからない。正直云って、警察の捜査はほとんど進展していないし、取材もまともにできていない。僕の周りでも、この件に当たっている人間は誰もいないよ。みんな医療関連の取材に走り回ってる。死んだ人間より、生きている人間のために何かしたいと考えるのは、自然なことだからね」

「あなたは違うの？」

「そうだね……誰も見向きもしない死があってはならないと思う。特にこんな世の中だからこそ、見過ごしちゃいけないんだ。たとえば君のクラスメイトのような最期をね」

彼は感傷的に云って、遠くを見つめる。本音だろうか。たぶん本音だろう。だとしたら関わるのは面倒な相手だ。人と人との関係は、すれ違えば忘れるくらいがちょうどいい。

「それで……君のクラスメイトなんだけど、何か変わった様子とかなかった？」

「別に。ごく普通の生徒にしか見えなかったわ」

「あのアパートで一人暮らしをしていたらしいね」

「そうなの？　知らなかった」

「ご両親は山の向こう側に住んでる。実家からは通学に不便だから、あのアパートを借りたらしい。そんな無理をさせるんじゃなかったと、ご両親は泣いて悔やんでいたよ」

「ご両親から話を聞けたのなら、これ以上わたしから聞くことなんて何もないんじゃない？」

「いや、学校での彼女について知りたいと思ってね」

「それならさっきも言ったけど、わたしは彼女と一日しか会ってないから、何もわからないわ」

「そうか……教室の仲間にしか見せない顔を知りたかったんだけど……」

彼女はどんな顔をしていたっけ。

これといって特徴のない、ごく普通の顔だ。どの転校先のクラスにも一人はいるような子。ただ少し、身長が高いことだけが、目立つといえば目立つ程度。特にいじめられていたり、もてはやされていたりすることもなく、当たり前のように教室に溶け込んでいた。

もちろん思春期の女の子だから、それなりに悩みも抱えていただろう。ただしそれが彼女の死と関係しているとは思えない。火災に巻き込まれた不慮の死とみるべきだろう。

「彼女の友人とか、彼氏とか、誰か心当たりない？」

「ないわ」

「まあ、そうだよね……転校してきたばかりじゃしょうがない」

相葉はあからさまに肩を落とす。せっかくつかまえた情報源が空っぽでは、ため息の一つも零したくなるだろう。

彼はベンチから立ち上がった。

「呼び止めちゃって悪かったね。僕はそろそろ行くよ。もし学校が再開して、彼女について何か知ることができたら、僕に連絡をくれないか？」

彼はあらためてポケットから名刺を取り出して、わたしに押し付けた。わたしは仕方なくそれを受け取った。

「それじゃあ、君も早く帰った方がいい。ステイホームだ。外をうろついていると、見知らぬ大人たちから怒られかねないからね」

立ち去ろうとする彼を、今度はわたしが呼び止める。

「ちょっと待って」

彼は足を止めて、怪訝そうに振り返った。

「あの建物で起きた事件について、詳しく教えて」

「……知ってどうするんだ?」

「別に、ただ真実が知りたいだけよ」そう云ってから、ふと思い直して、付け足す。「亡くなったクラスメイトのためにも」

「そうか……」

彼はゆっくりとベンチに座り直した。

雨がトタン屋根を叩く。世界はあまりわたしたちを歓迎していない。大人しく家に引っ込んでろと、責め立てられているような気分になる。

「そのうち記事にまとめるつもりなんだけど……ま、いいか。君も事件のことを知っておいた方が、今後何かに気づくこともあるかもしれないしね。それに君は地元の人間じゃないんだよね。よそから来た君にしか見えないものが、見えるかもしれないな」

そう、いつだってわたしは『よそ者』だ。

そして彼の云う通り、外から来た人間にしかわからないことは、少なくない。わたしが転校を繰り返すのは、『よそ者』としてその土地に潜り込むためだ。そうすることでしか解けない謎がある。

はたして今回の事件はどうだろう。そもそもわたしが依頼を受けていた件と、今回の事件とはまったく無関係だ。たまたまクラスメイトに不幸があっただけ。もちろん見ないふりはできたけれど……事件の異様さに興味をひかれたのも事実だ。

余計なことに首を突っ込むべきじゃなかったと、あとで後悔することにならなきゃいいけど。

「屍体が発見されたのは、今から大体ひと月前——四月の八日だ」相葉は手元のスマホでメモを確認しながら云った。「火災は七日深夜頃に発生し、翌朝まで続いた。その後、火災現場から二人の屍体が発見された」

「二階に住んでいた女性というのは、何者なの？」

「加賀(かが)あずさ、三十歳。生まれはここ。大学進学のために東京に出て、向こうで結婚。それ以来、地元には戻らず、向こうで暮らしていたらしい」

「東京にいた？　あのアパートで暮らしていたんじゃないの？」

「三月の連休中に帰ってきたんだよ。もちろん、例のウィルスを避けるためだ。疎開ってやつだな。人の溢(あふ)れる都会より、田舎で暮らす方が安全だと考えたんだろうね。ところがそう簡単にはいかなかった。彼女は疎開するに当たって、まず実家を頼ろうとした。けれど親戚一同から猛反対される。『都会からウィルスを運んでくるな』と露骨に嫌な顔をする者もいたようだ。そこで不動産屋を方々巡って、ようやく見つかったのが、あのアパートだ」

「旦那さんは？」

「疎開する際に、一緒にこの町に来たが、仕事のためにすぐに東京に戻ったようだ」

「こっちで一緒に暮らさなかったの？」

「そうみたいだね。旦那は東京で個人経営の小さな居酒屋をやっている。店を開けるために向こうに残ったようだ。次に旦那がこの町に来たのは、訃報が届いたあと」

「それじゃあ半月ほどの間、奥さんはあのアパートに一人で暮らしていたってこと？」

「そのようだ」

「そうまでしてここに残りたかったのかしら」

「よほど感染を恐れていたんじゃないか？」

「妊娠していたとか？」

「いや、そういう報告はない」彼はそう云って、ふとわたしを覗き込むようにして見つめた。「君、本当に高校生か？　なんだか妙に質問慣れしてるな。まるで記者の仲間と話してるみたいだ」

「わたしに妙な疑いをかけているのだとしたら、的外れよ」

わたしはポケットから生徒手帳を取り出して、彼に見せる。もちろん写真入りの本物だ。

「ああ、ごめん。別に疑ってるわけじゃないんだ。ええと……綿里外（わたさとそと）？　ソトって読むのかい？」

「ええ」

　わたしは手帳をしまう。

「わかった、覚えておく」

「別に覚えなくていいわ」

「……それで？　君は何を知りたいんだ？」

「一部の週刊誌でしか報道されていないみたいなんだけど、加賀あずささんがバラバラにされていたというのは本当？」

「そんなことまで知ってるのか……」

「胴体が上下に二分割、両腕両脚がそれぞれ二分割、そして残りは頭部で、十一の部位に分かれていたそうだけど」

「想像するのも恐ろしいようなことを、よく平然と口にできるもんだね……」

「事実なの？」

「うん、事実だ。ＤＮＡ検査では、すべて同一人物のものだと判明している。ただし損傷が激しく、切断に用いられた凶器は不明。死因の特定にも至っていないそうだ」

「彼女は半月の間、この町でどういう生活をしていたの？」

「近所のスーパーでは、食料を買っていく姿が何度か目撃されている。それ以外の目撃情報はほとんどない。大人しく自粛生活をしていたみたいだが……ただ、その一方で、夜な夜な繁華街に出向いて飲み歩いてたって噂もあるんだ」

「この町で女性が一人で飲み歩く店なんて限られてくるんじゃない？」

「その通り。だから片っ端から彼女が店に来たか聞いて回ってみたけど、実際に彼女を見たという人は一人もいなかった」

「どういうこと？」

「どうやら彼女の存在が噂になっていて、あることないこと云いふらされていたみたいなんだよ。おそらく親戚か、不動産関係の人間から広まった話なんだと思うけど……『東京から来た女』として町中に知れ渡っていた。なかには彼女を感染者だと誤解している人もいたよ」

よそ者の宿命だろう。もしかしたらわたしも陰では同じように噂されているのかもしれない。

「ほら、これを見て」

相葉はスマホの画面をわたしに向けた。

焼失する前のアパートの写真だ。建物を正面から撮ったもので、一階に赤茶色のドアが三つ、鉄の外階段を上がって二階に同じドアが三つ、並んでいる。右下の部屋の前にだけ、傘が立てかけてあったり、窓越しにピンク色のカーテンが見えたり、生活感が窺える。ここがクラスメイトの部屋だろう。

問題は二階の中央の部屋だ。ドアに貼り紙がしてある。一枚だけではなく、複数枚、しかも乱雑に張り重ねたような印象だ。

「これは近所の中学生が撮影してSNSにあげていたものだ。火事になる五日前。この中学生はただ茶化すつもりであげたみたいだが……」

「貼り紙があるけど、なんて書いてあるの？」

「次の写真を見てくれ。取材に行った時、近所の人が撮影していたものをコピーさせてもらった」

スマホを操作して次の画像を表示する。

さっきと同じように建物を正面から撮影した写真だが、かなり近距離から二階を見上げるような構図で撮られている。画像をズームさせると、ドアに貼られた紙の文字が確認できた。

『町カラ出テイケ！』

『ウィルスばらまくな！』

『自粛しろ』

『ヨソモノ　カエレ』

『クソ女』

　毒々しい赤色で書かれたものや、角ばったカタカナで書かれたもの、チラシの裏を使ったものなど……様々な種類の脅迫、誹謗中傷の貼り紙が、ドア一面に貼り重ねられている。

「東京から来たというだけで、こんなことになるの？」

「見ての通りだ。僕もこの町の人間が、こんなことをしているとは考えたくないけど、これが本性ってやつなのかもしれない」

「この様子だと、かなり執拗に脅迫されていたみたいね」

「そうだね。正義のつもりなのか、それともただの捌け口なのか、動機はわからないけど……ビラの種類からみて、これをやっているのは一人や二人じゃなさそうだ」相葉はため息交じりに云って、弱々しく首を横に振る。「彼女にとって不幸だったのは、ちょうどここに引っ越してきた頃に、県内で最初の感染者が出たことだろう。もちろん彼女とは全然関係なかったんだけど、彼女のせいだと本気で信じている者がいたのも事実だ」

「こんなことをされて、ここを出て行こうとは思わなかったのかしら」

「帰る場所がなかったんだろう」

「東京にいる旦那さんのところへ戻ればいいじゃない」

「それが……実際のところ、夫婦仲はけっしてよくはなかったようなんだ。旦那の居酒屋の常連客から話を聞いたけど、別れるのも時間の問題だったそうだ。これは僕の推測だが、この疎開は、事実上の別居だったとにらんでる」

「でもこの町に帰省する時には、旦那さんと一緒だったんでしょう？」

「まあ、それもそうなんだけど……実家に対するポーズだったんじゃないかな。結局、頼りにしていた実家からも追い出されて、旦那のもとにも帰れず、彼女にはあのアパートしか居場所がなかったんだ」

「問題は、誰が加賀あずささんを殺害したのかということだけど……目星はついてるの？」

「もう答えは歴然としてるじゃないか」

「え？」

「町の、人間だよ」

相葉は声をひそめて云った。

周りには誰もいないのに、まるで自分の声が町中に筒抜けになっているとでも考えているみたいだった。

「まさか」

「この町の人間はちょっと前まで、海風がウィルスから町を守ってくれてると本気で考えていたんだぞ。大気中の塩分濃度がどうとか、陸と海水温の差がどうとか、今考えるとばかばかしい根拠を並べて、この町の人間だけは大丈夫だと信じていた。ところが結果はどうだ？　災厄（さいやく）は分け隔てなく、この町にもやってきた。信じていた人ほど打ちのめされただろう。そんな状況で、災厄をもたらした人物がすぐそばにいると知ったら、どんな行動に出るか……」

「そんな理由で、相手を殺すというの？　しかもバラバラにまでして」

「わざわざバラバラにする理由が、他に考えられないだろ？　この事件は、制裁であり、浄化なんだ」

「浄化？」

「遺体から、着火剤に用いられる燃料が検出されたそうだ。つまり犯人はバラバラにした遺体を、意図的に燃やしている。そうすればウィルスを焼却できると考えたんじゃないか？」

「そこまでする？」

「誰かが『しなきゃいけない』と思ったんだろう」

「アパートが燃えて、他の住人に被害が及ぶとは考えなかったのかしら」

「そこまで燃えるとは思っていなかったか……あるいはアパートごと燃やし尽くそうと考えたのか。後者だとしたら、おぞましい話だ」

ウィルスを焼却するため、アパートごと燃やした……もしそうだとすれば、クラスメイトの彼女は、とんだとばっちりを被ったことになる。

それが真相なのだろうか。

雨足が強くなってきた。頭上のトタン屋根を叩く雨の音が、いっそう激しくなる。もう声をひそめてはいられない。

「事件のこと、いろいろ教えてくれて、どうもありがとう」わたしは云った。「クラスメイトがどうして亡くなったのか、ぼんやりとわかった気がする」

それは半分、嘘だった。

わかったのは経緯だけ。真相はきっと別のところにある。

「ついでといってはなんだけど、さっきの画像、コピーしてもらえないかしら」

「ドアの貼り紙の画像か？　それはできないよ。取材先から手に入れたものだから……ああ、中学生が撮った方なら、今でもＳＮＳを検索すれば出てくるはずだ」

「そう、じゃあ調べておくわ」

「君……僕の結論に納得してないみたいだな」相葉は目を細めて云った。「君は一体何者なんだ？」

「ただの転校生」

わたしは立ち上がり、傘をさしてバス停の屋根の下から出た。わたしたちが話している間、目の前を通り抜ける車は一台もなかったし、誰かが通り過ぎることもなかった。

町は死に絶えてしまったのだろうか？

そんな気配のする静けさを、取り乱したような雨音がごまかしている。

2

わたしは自宅のマンションに帰り、シャワーを浴びた。温かいお湯が出るということは、まだ世界は滅んでいないらしい。

部屋着に着替えて、ベッドに横になる。

サイドテーブルには、わたしが本来請け負っていた依頼の資料が散らばっている。この町の港が、麻薬密輸の温床になっているという情報があり、わたしが捜査することになった。まずは学校で港湾関係者の息子や娘と接触するのが目的だったが、休校になってしまったため、身動きが取れないままだ。今は探偵も家にいるしかない。幸い、海外からの船はほとんどなく、港は静かなようだ。

そんななか、クラスメイトの死を知った。

正直なところ、名前すら覚えていない相手だ。彼女のために尽くす義理はない。いつものように彼女の記憶は、この町に置いていく……つもりだった。

彼女が生きていればそうしていただろう。

けれど彼女はもうこの世にいない。

その事実が、わたしの心を引き留めた。

矛盾した話だ。生きている人間より、死んだ人間の方が身近に感じられる。優しくなれる。死者はもう二度とさよならを云わないから。彼女はすべての別れを終えた人。わたしはそこに安心感を覚えるのかもしれない。

わたしはあらためて彼女の死について考える。

彼女と同じアパートに住む女性が、町にウィルスを運んできた『よそ者』として制裁され、殺菌のために燃やされた。その結果、クラスメイトの彼女も火事に巻き込まれて死んだ……

一応、話の筋は通っているけれど、いくつか腑に落ちない点もある。

そもそも加賀あずさの遺体をバラバラにする必要があっただろうか。いくら義憤や正義感に駆られた人間でも、遺体を分解作業しているうちに、その熱も冷めて我に返るだろう。この作業を完遂させるだけの動機としては弱い。第一、犯人がウィルス感染を恐れていたとしたら、この作業は避けているはずだ。

それから、実家への帰省を拒絶された彼女が、わざわざ安アパートを借りてまで、この町に留まった理由がわからない。相葉は『事実上の別居』と推察していたけれど、それなら何故夫は、彼女と一緒にこの町に来たのだろう。

ベッドに寝転んだまま考え事をしていると、インターホンが鳴った。

モニターを確認すると、バイクのヘルメットを被った男性が、バッグから荷物を取り出している姿が映った。彼は荷物を玄関先に置くと、一礼してすぐに立ち去った。

デリバリーのパスタが届いたみたいだ。他人とまったく顔を合わせることなく、注文から受け取りまでできるので、可能な限り人との接触を避けたいわたしにとってはありがたいサービスだ。

わたしは玄関を開けて荷物を回収し、テレビのニュースを流しながら夕食にした。ニュースでは今日の感染者数と死者数の数字が大きく表示されていた。

窓の外では雨が降り続いている。不吉な風鳴りに街路樹がざわめく。破滅がすぐそこまで迫っているような、不安をかき立てられる雨だれ。

けれど内心でわたしは、この状況に居心地の良さを感じていた。孤独でもいい世界。ひとりぼっちが推奨される世界。こんな日が来るなんて、思いもしなかった。きっと世の中の人たちは困るんだろうけれど、わたしはこのままでも構わないとさえ思っている。どうせ友だちなんか一人もいない。

けれど事件の捜査だけは別だ。情報を集めなければ、安楽椅子探偵も気取れない。

わたしはノートパソコンを立ち上げて、さっき相葉に見せてもらったアパートの写真を探した。彼の云う通り、ＳＮＳを検索するとすぐに見つかった。画像をダウンロードする。

ついでに事件についてネットの記事を調べてみた。けれど検索で引っかかるニュースには、事件の詳細はほとんど記されていない。

続けて、加賀あずさの夫が経営しているという居酒屋を探そうと試みたが、手掛かりさえ摑めなかった。

やはりパソコンの前に座っているだけでは、何も進展しない。

わたしは渋々、壁にかけておいた制服のポケットから相葉の名刺を取り出した。彼のスマホに電話をかける。しばらくコール音が続いてから、ようやく彼が電話に出た。

『はい？　もしもし？』

「さっき焼け跡で会った者だけど」

『ああ、登録されてない番号だから誰かと思ったら、君か』

不審そうな声がようやく和らいだ。背後からはテレビの音と子供のはしゃぐ声が聞こえる。

『もしかして、クラスメイトのことで何か思い出した？』

「いいえ。こちらから出せる情報はもうないわ。それより加賀あずささんの旦那さんについて教えてほしいの。店の名前はわかる？」

『また唐突に……あのねえ、そういう個人情報については教えられないの』

「店の名前くらい、いいじゃない。さっきはさんざん事件のこと、教えてくれたのに」

『それとこれとは別だよ』

「じゃあいい。その代わり、事件に関連した質問ならいいでしょ？　旦那さんの行動について知りたいの。三月に奥さんをこの町に残して東京に帰ったあとは？　旦那さんは何をしていたの？」

『うーん……まあそれくらいなら話してもいいか。彼は東京に帰ったその日には店を開けて、それから奥さんの訃報を聞く日まで、毎日一人で店を回していたそうだ』

「この町に戻ってきた形跡はないの？」

『それについては警察もきっちり調べてるが、彼は一度も東京を離れていない。それどころか外出自粛を守って、長時間家を留守にした形跡すらない。店舗兼住宅だから、買い出しに出る以外は、移動する必要がないんだ。そもそも事件のあった四月七日の夜から翌朝にかけては、夜遅くまで常連客の相手をしていたから、どう頑張っても東京とこの町を往復することはできない』

　東京からこの町までは、新幹線で二時間、在来線に乗り換えて四十五分かかる。車ならその倍以上。往復するつもりなら、さらに倍だ。

「『家を留守にした形跡がない』と、どうやって証明できたの？」

『常連客や商店街の顔なじみの証言だよ。隣の店の店主によると、旦那は毎日、朝五時にはシャッターを開けて仕込みを始め、午前十時に店を開け、夜十二時にシャッターを閉めるまで、客の相手をしているそうだ。しかも奥さんが疎開してからは、一人で休みもなく働いていたから、心配でよく声をかけにいっていた、と』

「半月の間、休みもなく？」

『ああ。でも客足が減っているせいで、むしろ暇を持て余していたらしいよ。四月に入ってからはテイクアウトの受け付けを始めて、なんとかこの状況に対応しようと苦心していたみたいだ』

「店を閉めたあと、こっそり家を出るくらいはできたんじゃない？」

『おいおい、まさか君、旦那を疑ってるのか？　そりゃあ真夜中なら、周囲にばれないように家を出るくらいはできたかもしれないが……出たところでどうするんだ？　夜十二時以降じゃ、新幹線の終電には間に合わないし、車だと翌朝五時までには帰ってこられないぞ。それにさっきも云ったように、犯行のあった日の夜は客の相手をしていて……』

彼の言葉を聞き流しながら、わたしは地図を広げて確認する。地図は苦手だけど仕方ない。誰にも悟られずに、この距離を往復する方法があるだろうか。電車も車もだめなら、飛行機はどうか……と考えたけれど、この町の近くには飛行場はない。

「昼間に店を抜け出すのは無理かしら？」

『無理だな。いつ客が来るかわからないし、特に四月以降は顔なじみがテイクアウトの弁当を買いに毎日足を運んでいたというから、何時間も店を空っぽにすることはできない』

「代わりの店番を置いておけば？」

『そんなことしたら怪しまれるに決まってる。そもそも代わりになるような従業員がいない。給料を払える状況じゃないからね』彼はため息交じりに云う。『なあ、もう諦めたらどうだ。旦那は必死に仕事しながら、大人しく家にこもっていたんだよ。自粛の相互監視が厳しいこんな時だからこそ、それははっきりと証明されている。いわば衆人環視の状況だ』

ステイホームを実践する男が、遠く離れた場所に住む人間を殺害し、バラバラにして、しかも火を放った……

そんなことが可能だろうか。

被害者の夫が犯人ではないとしたら、行きずりの異常犯罪者の仕業か？　それとも相葉が云っていたように、『町の人間』たちの犯行なのか？

『それにしても、君は本当になんなんだ？　まるで事件のことを調べてるみたいじゃないか。何か目的があるのか？　それとも……』

「もう切るわ。情報ありがとう。さよなら」

わたしは電話を切った。すぐに折り返し電話がかかってきたけれど、スマホの電源を切った。

この事件を解決する目的……

わたしは夜の間、それについて考えてみたけれど、これといって思い当たらなかった。依頼を受けている別の事件と、もしかしたら背景が重なる可能性も疑ってみたけれど、どうやらそれもなさそうだ。

結局のところ、この世にはもういないポニーテールの彼女のための捜査でしかないのだろう。

ひとりぼっちのわたしに話しかけてくれた、ささやかなお礼だ。


翌日、わたしは再び火災現場へ向かった。

昨日から続く雨のせいか、坂道から見下ろす海は白く荒れていた。歩道では誰ともすれ違うこともなく、デリバリーのバッグを背負った男性の自転車を遠くに見かけただけだった。

昨日と同じように、スーパーの片隅で売っている花を買っていく。事件現場を調べる際に、花は必須だ。誰かに見咎（みとが）められた時に、云い訳に使える。わたしにとって花は、別れや弔（とむら）いのためだけのものではない。

右手に傘、左手に花を持って、誰もいないどしゃ降りの歩道を歩く。

やがて道の先に、黒い廃墟が見えてきた。

死してなおその姿を街路灯のスポットの中にさらし続ける、気の毒な建物の死骸だ。

近づくと、昨日置いた花がそのままになっていた。他に供え物は一つもない。

周囲を見回し、誰もいないことを確認してから、建物の裏へ回る。本来なら昨日のうちに調べておきたかったが、思わぬ邪魔が入ってしまった。結果的にたくさんの情報を手に入れられたので、悪いことばかりではないけれど。

瓦礫の中に足を踏み入れる。四方には一部の壁が残っているので、表通りから誰かに見られる心配はない。

瓦礫の中央に立ち、空を見上げる。おそらくこの上に加賀あずさの部屋があって、火災により崩落したのだ。

ほとんどのものは灰と炭になっていて、もともとそれがなんであったのか認識すらできない。それでもかろうじて、液晶テレビや小型の冷蔵庫などは原形を留めている。

通常であれば、家電用品は出火元である可能性を考慮して、火災調査の際に回収されるはずだけど……まだ現場に残されているということは、未だに詳しい現場検証もままならない状況なのだろうか。それとも、はっきりとした出火元がすでに特定されているのだろうか。

バラバラ屍体から着火剤の成分が検出されたということは、犯人は意図的に屍体に火を放ったと考えられる。少なくとも失火ではなく、放火だ。

火災の通報があったのは七日の深夜。被害者の夫はこの時、遠く離れた場所にいて、確かなアリバイが成立しているようだ。

けれど火を放つだけなら、必ずしも現場にいなくてもできるのではないだろうか。

たとえば時限発火装置や、遠隔装置を使えば……

わたしはその場に屈み込んで、瓦礫をかき分ける。発火装置の痕跡がどこかに残されているかもしれない。

しばらくして、折り重なった瓦礫の下から、ノートパソコンを見つけた。プラスティックの外装は溶けて、真っ黒な基盤がむき出しになっている。その基盤の一部から、皮膜が溶けて銅線だけになったケーブルが延びていて、細い円筒形のデバイスに繋がっていた。

これはなんだろう。形からしてマウスではない。充電器……でもなさそうだ。形状はボールペンに似ている。ただし先端は尖っておらず、むしろ窪んでいて、小さな穴が空いている。

おそらくこれは……レーザーポインター？

電源スイッチらしきボタンがあるが、押しても反応はしない。当然、壊れているのだろう。ケーブルはノートパソコンのＵＳＢ端子に繋がっている。

わたしはスマホの検索サイトで、これと同じ型のレーザーポインターを探してみた。意外にも簡単に見つかる。どうやら個人輸入品として通販サイトで販売されているもので、最大出力は千ミリワット。バッテリーはＵＳＢケーブルによる充電式らしい。

これなら遠隔発火装置に使えるかもしれない。

これだけの出力があれば、マッチに火を着けることも可能だ。たとえば、レーザーポインターを固定して、光線がマッチの先端に当たるようにしておく。あとは遠隔操作でスイッチを入れることができれば、その場にいなくとも出火させられる。

問題は、どうやってスイッチを入れるか、だが……

そうだ、ノートパソコンを使えばいい。

まず、あらかじめレーザーポインターのバッテリーを空にして、スイッチはオンの状態にしておく。これをＵＳＢケーブルでパソコンと繫ぎ、充電が可能な状態にする。ただしすぐに充電が始まらないように、該当するＵＳＢ端子をアプリで無効化しておく。

このノートパソコンをモバイルルーターでネットに接続させておき、犯人は別の場所からリモート操作する。

すべきことは一つだけ。リモートでＵＳＢ端子の給電をオンにすること。

するとレーザーポインターのバッテリーが回復し、光が放たれる。その結果、設置しておいたマッチに火が着き、周囲に延焼し始める。この古い木造アパートなら、たった一本のマッチの火が、すべてを焼き尽くすほどに大きくなるまで、そう時間はかからなかったはずだ。

リモート放火は不可能ではない。

物証もある。ただし焼け焦げたパソコンのログを調べることは難しいかもしれない。あるいはルーターの通信記録を調べれば、動かぬ証拠になり得るだろうか。

もしこのリモート放火装置が実際に犯行に使われたのだとしたら、犯人は被害者の夫以外には考えられない。装置を室内に仕掛けることができたのは、身内の人間だけだからだ。

そもそもこの装置は、被害者に見つからないように設置する必要がある。ノートパソコンはともかく、レーザーポインターやマッチがその辺に転がっていたら不自然だし、片付けられてしまうかもしれない。一連の装置をひとまとめにして段ボール箱に入れ、押し入れに隠しておくとか、対策が必要だ。

しかもパソコンをリモート操作するためには、スリープ状態にならないように常に稼働させておく必要がある。リモートでのスリープからの復帰も技術的に不可能ではないが、安定性に欠けるため、稼働させたまま置いておくのが最善だ。そのためにはバッテリー切れにならないように、電源コードを繋いだ状態にしておかなければならない。コードは棚の裏にでも隠せばごまかせるだろうか。

これを被害者に見つからないように設置できるのは、部屋に自由に入ることのできた者、つまり身内に限られる。しかも装置を押し入れに隠したり、コードを見つからないように配置したりするのであれば、入居時の引っ越しを利用するのがベストだろう。

夫がわざわざ被害者の帰省に付き合ったり、疎開用のアパートを借りたりした理由がわかった気がする。

すべてはリモート放火の舞台装置をしつらえるため。

けれど遠隔で放火することができたとしても、被害者を殺害し、バラバラにすることまではできない。もし夫が犯人だとしたら、彼は数百キロ離れた場所から、それを実行したことになる。

まさか屍体を切断するリモート装置まで用意したというのか？

わたしはあらためて瓦礫の中を見回す。

被害者を十一の部位に切り刻む凶器……

そんなものはあり得ない。それらしい痕跡も、遺留品も残されていない。いくら二階の部屋が焼け落ちていたとしても、それだけの大掛かりな装置を用意していれば、なんらかの痕跡が残されるはずだ。

きっと何かが間違っている。

わたしは焼け跡の中から出て、建物の表側に回る。通りに人の気配はない。建物から少し離れて、遠目に眺めてみた。

真っ黒なアルファベットのＭだ。

ＳＮＳ画像で、かつての姿と今の姿を比べてみる。当時、加賀あずさの部屋に貼られていたビラは、もちろん今では一枚も見当たらない。火災とともに消え去ったようだ。

ビラを確認しようと画像を拡大して、ふと気づいた。

玄関ドアの横に、もう一つ小さな扉のようなものがある。足元近くに取っ手があり、大きさは三十センチ四方ほど。

ガスや電気のメーターが収納されている場所かと思ったけれど、それにしては位置が低すぎる。だとすればペットの出入り口？　いや、ドアの取っ手は、明らかに人間が使うもののように見える。よく見ると、ドアの下にキーパネルのようなものがある。暗証番号を入力して開けるのだろうか。

わたしはいったんバス停に避難して、雨宿りする。バスは二時間先まで来ない。考える時間はたっぷりある。

傘を畳んでベンチに座り、スマホで相葉を呼び出した。

『そろそろ電話してくる頃じゃないかと思っていたよ』彼は云った。『今度はなんだい？』

「アパートのことで聞きたいの。加賀あずさの部屋のドア横に、もう一つ小さなドアみたいなものがあるけど、これが何か知ってる？」

『いや……知らない』

「画像で確認してみて」

『仕方ないな……』電話の向こうから、ごそごそと何かを操作する音が聞こえてくる。『ああ、これは宅配ボックスじゃないか？　不在時に届いた宅配便の荷物を入れておく箱だ』

「画像を見る限り、取っ手のついたドアしかないけれど」

『荷物を受ける箱そのものは室内側に取り付けられているんじゃないか？　ほら、マンションなんかだと、ドアの裏側に郵便受けがついてるだろ。あれを大きめにした感じだな』

「つまり……置き配してもらうための設備ね。他の部屋にはついていないようだけど」

『引っ越しの際に、わざわざ設置したのかもしれないな』

「そう……」

わたしの頭の中で、バラバラに散らかっていた情報が、急に一枚の絵として脳裏に浮かぶ。バラバラ屍体、リモート放火、置き配、ステイホーム……犯人はこの時世を利用して、完全犯罪を企んだのだ。

『……綿里外』相葉が急にわたしの名前を呼ぶ。『少し君のことを調べさせてもらった。君、何度も転校を繰り返しているみたいだね。転校先の学校の周囲では、必ずなんらかの事件が起きている。そして君がいなくなったあとは、何故か事件が解決している。もしかして君は……』

「そんなことより、一つ聞いていいかしら」

『僕の話は聞かないくせに、質問ばかりするんだな。まあいいだろう。なんだ？』

「加賀あずささんの旦那さんは、四月から店でテイクアウト販売を始めたと云っていたわね。それって、アプリを使ったデリバリーもやっていたのかしら」

『ん？　ああ、そうそう「グルメ・デリバリー」ってやつに登録していたみたいだな。ほら、こんな田舎町ですら、最近よく見かけるようになっただろ。専用の四角いバッグを背負って、自転車で駆け抜けていく彼らの姿を』

『グルメ・デリバリー』といえば、わたしも利用している宅配アプリだ。コンビニの商品一つから、フレンチレストランのディナーまで、スマホアプリで注文から支払い、受け取りまでできる。受け取り方法も、置き配を選択すれば、誰とも会わずに済ませられる。

「やはりそうなのね……」

『どうした？』

「犯人が東京の家から一歩も出ることなく、この町でバラバラ殺人を行なった方法がわかったわ」

『な、なんだって？　というか……やっぱり犯人は被害者の旦那なのか？』

「ええ、それは明白よ」

『いや、しかしどうやって……旦那にはれっきとしたアリバイがあるんだぞ』

「そのアリバイは、あくまで放火のあった時間に、東京にいたというだけのことでしょう？」

『いやいや、それだけじゃない。彼は半月の間、ろくに家を出てすらいないんだ。それなのに、どうやってこの町に疎開している奥さんを殺害できる？』

「それは簡単なことよ。被害者本人が、町を出て東京に戻ってくればいい」

『被害者が……東京に戻った？』

「ええ。旦那さんが家を留守にすることがなかったというのは、証言から確かなことなんでしょう。でも奥さんの方はどうかしら。四六時中誰かに見張られていたわけではないわ。

もし奥さんの方から東京の自宅に戻ったのだとしたら……」

『彼女は東京で殺害されたというのか？』

「そうよ」

『どうして東京に戻った？』

「旦那さんに呼び戻されたからでしょう。奥さんにとっても、町ではあらぬ噂を立てられ、アパートには脅迫ビラを貼られ、町を出ることに異存はなかったはずよ」

『まあ、確かにな……いや、それにしてもだな……旦那が奥さんを東京で殺した？　それはそれで問題だらけじゃないか。だってアパートの火災現場では間違いなく加賀あずさ本人の屍体が発見されているんだぞ？　ＤＮＡ検査での特定も済んでいる。彼女の屍体が、東京から遠く離れたこの町で見つかっているのは確かなんだ。しかし旦那は家を留守にしたことはない。たとえ奥さんを殺すことができたとしても、屍体をこっちまで運ぶことはできなかったはずだ』

「ええ、そうね。旦那さんが家を出ていないというのは、本当なんでしょう」

『だったらどうやって屍体を……あっ！　もしかして誰か他の人間に運ばせたのか？』

「結論としては……それ以外には考えられないわね」

『つまり共犯者がいるってことか？　しかし誰がそんな犯罪の片棒を担ぐようなことを進んでする？　なんのメリットがあって……』

「順を追って説明するわ」わたしは周囲に誰もいないことを確認してから、続ける。「加賀あずささんが東京に戻ってきたのは、火災のあった数日前。おそらく五日頃じゃないかしら。旦那さんはその日にすぐ、彼女を殺害したと考えられるわ。そして自宅で屍体をバラバラにする」

『そんな、おぞましいことを……』

「バラバラにしたあとは、血や臭いでバレることを防ぐために、店の冷凍庫に入れて凍らせておくという手もあるわね。まあそこまで暑い時期ではないし、真空パックにでもしておけば、それほどバレる心配はなかったかもしれない」

『バレるって、誰に？』

「デリバリーよ」

『は？』

「犯人は屍体を細かいパーツに切り分けて、燃えやすいように着火剤を塗ったうえで、丁寧に箱詰めする。その箱はさらに不透明なビニール袋で包んでおく必要があるわ。そうしたらその日の昼に、架空のアカウントから自分の店にデリバリーを発注し、『グルメ・デリバリー』の配達員を呼ぶのよ」

『まさか、その配達員に……箱詰めした屍体を渡すのか？』

「そう。『グルメ・デリバリー』のバッグを背負った人が、店を何度か出入りしていたとしても、不自然ではないでしょう。しかも例のバッグに、屍体が入っていても、すれ違う周囲の人々が気づくはずがない」

『運んでる本人はどうなんだ?』

「彼らは注文の品を受け取ったと思っているだけよ。一つあたり、四、五キロはあると思うけど、『ドリンクが重たいから気をつけて』の一言でもかけてあげれば、特に疑うこともないでしょう」

『いや、それにしても……十一の部位に分けたものを、十一人の配達員に別々に運ばせるのか?』

「ええ、屍体をバラバラにしたのはそのため。これ以上細かくすると、配達員を増やす必要があるから、トラブルが発生する確率も高くなる。十一がギリギリってところじゃないかしら」

『でも東京からこの町まで数百キロの距離だぞ。いくらなんでも、その距離に対応してくれる配達員なんかいないし、そんなことをすればかなり目立つだろう?』

「だから少し工夫が必要ね。たとえばこうよ。犯人は近所の空き家や、マンションの空き室をあらかじめ把握しておいて、それらの住所を注文品の受取先に指定するの。注文の際に『置き配』指定しておけば、直接応対する必要もなく、勝手にそこに置いていってくれるわ」

『つまり……近所の十一か所に、バラバラ屍体が配られたわけだな。そこまではいいとして、そのあとはどうする？』

「今度は長距離移動。宅配便を利用するのよ。今は非接触対応が推奨されているから、荷物の集荷も非対面でやってくれるわ。空き家の玄関先に置かれた荷物を、配達員に取りに来てもらうの」

『なるほど、空き家を中継地にして荷物をリレーするのか……いや、待てよ。だったら最初から自宅に宅配便を呼んだらいいんじゃないか？』

「それだと怪しまれる可能性があるのよ。商店街で利用している宅配便業者は顔馴染みだろうし、普段とは違う荷物のやり取りがあれば、間違いなく印象に残るはず。もしあとで、事件で奥さんが亡くなったことが知られたら『あの時の荷物だ』と気づかれてしまうかもしれない」

『うーん……それもそうだな。いったん「グルメ・デリバリー」を使うことで、周囲の人間に怪しまれずに、屍体を遠くへ送ることができるというわけか』

「あとは受け取りね」

『アパートにはもう誰もいないぞ？　誰が荷物を受け取るんだ？』

「置き配ボックスがあるでしょう？」

『あ、そうか、それで……』

「一度に全部の荷物が配達されないように、指定の時間をずらすとか、複数の宅配業者を使うとかして、順繰りに十一個の荷物が届くようにしておく。ボックスの中はそのまま玄関内に繋がっていて、荷物を入れると室内に送り込まれるようになっていたんじゃないかしら」

『それだと二つ目以降の荷物は、ボックスの入り口で渋滞を起こさないか？　無理矢理押し込むにしても、荷物が増えるほど、重量が増していくぞ。これだと怪しまれてしまうんじゃないか？』

「そうね。それを避けるために、あらかじめ床に丸い棒でも並べて、スムーズに押し込めるようにしておいたんじゃないかしら。たとえば丸い鉛筆を並べておくだけでも、ベルトコンベア代わりになると思う」

『ちょっと待てよ。それは加賀あずさが部屋を出た時点で、そうなっていたってことだよな。それはおかしくないか？　被害者本人が、そんな仕掛けをしてから家を出たっていうのか？』

「引っ越しの荷物が大量に届くからそうしておけと云われたら、別に疑う理由はないんじゃない？」

『うーん、まあ……彼女はまさか、自分が荷物になってこの部屋に戻ってくるなんて、その時点では考えもしていなかっただろうしな……』

「とにかくこれで、バラバラ殺人事件の謎は解けたわね」

『放火の件がまだ済んでないぞ』

「それについてはもう解決済みよ」

わたしはレーザーポインターを使ったリモート放火の方法を彼に伝えた。

『なるほどな……リモート放火か。犯人は大人しくステイホームしているようにみせて、実はありとあらゆる手法で、この殺人を成し遂げたんだな』

「ちなみに屍体に着火剤が塗られていたのは、もちろん証拠隠滅のためなんだけど、燃やしたかったのは屍体よりも、それを包んでいた箱の方ね。屍体が荷物として運ばれてきたということを隠すために、放火する必要があったのよ」

『用意周到だな。おかげで物証もほとんど焼失してしまったというわけか……』

「いいえ、ノートパソコンもレーザーポインターも、まだ現場に転がっているわ。警察に通報して、早く回収してもらった方がいいと思う。それから……六日から七日にかけて、このアパートに荷物を配達した業者を割り出して、証言を得るべきね。犯行を立証する手立てになるわ」

『あ、ああ、そうだな。よし、知り合いの刑事に話をしてみよう。君は今、何処にいるんだ？　よかったら刑事に直接話を……』

「それは断るわ。あなたからすればいい。もともと、わたしには関係のない事件だから」

『……わかった。でもしばらくはこの町にいるんだろう？　今度、いろいろと話を聞かせてくれ。取材記事も書き直さなきゃいけないし……忙しくなるぞ』

「少しでもこの状況がいい方向に傾いたら……またその時にね」

わたしは通話を切った。

この状況がいい方向に傾いたら……

そんな日は来るのだろうか。

3

気づくと雨が弱まっていて、海の上空に青空が見え始めていた。雲の切れ間から、柔らかい陽射しが水平線を撫でるように降り注いでいる。

もうすぐバスが来る時間だ。わたしは傘を閉じたまま、バス停から出た。

そのまま帰ろうとして、ふとアパートの方を振り返ると、その背後に虹が出ているのが見えた。

これで少しは弔いになったかな。

わたしは踵を返し、焼け跡の方へ向かった。虹が出ていなかったら、そのまま帰っただろう。ほんの気まぐれだ。せめて彼女の形見を持って帰ろうと思い立った。

虹のアーチをくぐるようなつもりで、再び廃墟の中に足を踏み入れる。

クラスメイトの部屋に入り、かつて彼女が使っていたであろう机に触れる。

何も知らずに事件に巻き込まれ、命を失った彼女。

あまりにも無垢な死……

その時、わたしのスマホが鳴った。相葉の番号だ。無視しようと思ったが、しつこいので仕方なく出た。

「何？」

『ああ、よかった繋がって。朗報……と云えるかどうかはわからないが、君にぜひ伝えておこうと思って。加賀あずさの旦那が、一週間ほど前から行方不明になっているらしい。事件のことで警察が話を聞きにいった翌日、姿を消したそうだ。こりゃあ、アタリかもしれないな』

「ふうん……そう」

『なんの感慨もないのか。まあ、君らしいな』

「話はそれだけ？　じゃあ切るわ」

『ああ、待った。それから知り合いの刑事から聞いたんだが、加賀あずさの部屋は、ブレーカーが落とされていたらしいんだ。だから電化製品の不具合による発火現象なんかは否定されているらしいんだが……って、聞いてるか？　おい』

わたしは通話を切っていた。

ブレーカーが落とされていた?

あり得ない話ではない。加賀あずさが東京へ戻る際に、部屋を長く空けることを考慮して、ブレーカーを落としていった……十分に考えられる行動だ。

けれど……だとしたら、リモート放火は成立しない。何故なら、リモート操作の都合上、ノートパソコンは電源を入れたままにしておかなければならないが、ブレーカーが落とされれば、給電が絶たれてしまう。それでもバッテリーによって半日はもつかもしれない。けれど半日ではだめだ。屍体の移動に一日かかることを考えたら、七日の夜の時点では、パソコンはバッテリー切れになっていた可能性が高い。

つまり犯人は放火することができなかった。

だとしたら誰が?

『この事件は、制裁であり、浄化なんだ』

相葉はそう云っていた。

ドアの前に貼られたビラの数々。

あらぬ噂を流された被害者。

燃え尽きたアパート。

気づけば、わたしはその場に膝をついていた。頭上には鮮やかな虹。そして糸のように細くなった雨は、いまや音も立てずに、わたしの肩を濡らす。

もしそうなら……

もしそうだとしたら、ポニーテールの彼女は浄化の炎に巻き込まれたことになる。一方的な正義の力が、彼女ごと、この場所を薙ぎ払ったのだ。

かわいそうに。

わたしは彼女の机を支えにして、どうにか立ち上がった。ふと、その机に引き出しがあることに気づく。燃え尽きずに残ったようだ。

何か形見になるようなものがあるかもしれない。

わたしは引き出しを開けた。

そこには燃えかけたコピー用紙が数枚入っていて、その上に赤いサインペンが転がっていた。

コピー用紙には、毒々しい赤い文字でこう書かれている。

『ヨソモノ　カエレ』

余白にはまだ、何か書き足そうとした形跡が窺える。
わたしは何も取らずに、そっと引き出しを戻した。
そして、もう一度虹のアーチをくぐるようにして、瓦礫の廃墟をあとにした。

Stay sweet, sweet home

斜線堂有紀

斜線堂有紀（しゃせんどう ゆうき）

2016年、第23回電撃小説大賞・メディアワークス文庫賞を受賞しデビュー。

受賞作『キネマ探偵カレイドミステリー』シリーズのほか、主な著作に『コールミー・バイ・ノーネーム』（星海社FICTIONS）などがある。

——うん、今日も十全に可愛いわ。

襟元についた紺色のリボンを結び直しながら、來山はぐみはにっこりと笑ってみせた。流石は天下のInnocent Worldだ。サイトで見た時からこのスタンドカラーリボンブラウスは買いだと思っていた。袖のくしゅっとしたフリルも、大袈裟なくらい少女趣味な胸元のひらひらも可愛い。

下に合わせたMIHO MATSUDAの黒いスカート・リデルも、はぐみによく似合っている。パニエを入れたスカートは鳥籠のような完璧な膨らみを見せていた。本当はここにメアリーマグダレンのジェノワーズコートを合わせて出かけたいところであるが、生憎と今は外出自粛期間だ。サーカステントの屋根のようなパゴダ傘もしばらくお預けだろう。

ウイルスを根絶するために、人間は自分で設定した檻の中で大人しく過ごしている。はぐみだってそうなのだが、よくもまあみんなちゃんとステイホームを守っているものだと思う。人間は有史以来、自由意志というものを上手く使いこなせないでいたのに。今やみんなが一致団結して見えない敵と戦っている。

そのこと自体が不思議で、まるでお伽噺みたいだ。ただ、相手取ったドラゴンの姿形も見えないのが、ハッピーエンドへの道程をかなり直接的に阻んでいる節があるが。

ともあれ、ステイホームである。

はぐみは今日のように、たとえ一歩も外に出ない日であっても、全身を完璧なロリータファッションで固めている。何故なら、彼女にとってこの装いは『完璧な魂』そのものであるからだ。サモトラケのニケはたとえ誰にも観測されずとも、形を三角や四角に変えることはない。それと同じだ。

世界の様相が大きく変わり、ステイホームが声高に叫ばれるようになっても、來山はぐみの在り方は変わらない。どれだけ世界が変わってしまっても、愛するお洋服とともに出来うる限り可愛く麗しくあらねば。

はぐみの偏愛するInnocent Worldがこの事態を受けてレースマスクを販売したのも、この気高き魂が共通しているからだろう。どんな事態にも立ち向かわなければならない。その時でも、愛らしさを忘れないように。

しかし、今日のようにここまで丁寧に髪を巻くのは流石に特別である。何だかんだで一時間近くかけてまでセットをしたのは、これから控えたお楽しみの為だ。

鏡の前から退いて、ふわふわとした足取りでパソコンの前に座る。映りをよくするために設えたリングライトも忘れない。最後に、髪飾りと上手く噛み合うようにヘッドセットを装着すれば準備オーケーだ。二、三度笑顔を作ってから、はぐみはＷｅｂ会議サービスで、目当ての人物を呼び出す。

すると、程なくして画面上にパッとショートボブの健康的な女の子が現れた。

小麦色の肌と、それによく合うオレンジ色のリップに、はぐみの胸が高鳴る。いかにも気の強そうな吊り目は、慣れないものへの不安で細められていた。

そんな彼女を宥めようと、はぐみはもう一段階甘やかな声で話しかける。

「ハロー、林檎。今日も可愛いわね」

声を掛けられた木村林檎は、カメラ越しにはぐみの目を捉えた。

『おはようございます！　はぐみさん！』

体育会系の癖が抜けないのか、林檎は夜九時にもかかわらず、ハキハキとした声で挨拶をする。

『えっと……聞こえてますか？　すいません。私まだこれ全然慣れなくて』

「ばっちりよ。電話で林檎の声を聞くだけでも満たされるけど、やっぱりこうして顔を合わせると格別ね。可愛い林檎の顔を見ただけで今週どころか来世まで乗り切れそうだもの。そう思うとなんてコスパがいいのかしらね」

『は、はぐみさん……からかわないでくださいよ……』

林檎がへにょりと眉を寄せ、可愛らしく唇を尖らせる。

……ああ、なんて可愛いのだろう。はぐみはうっとりと溜息を吐いた。

この通話は一部始終録画して、後での鑑賞用にとっておくことにしよう。ステイホームは憂鬱極まりない事態だが、思わぬ収穫があったものだ。

通話相手の木村林檎は、來山はぐみが今一番熱を上げている相手だ。

二人の出会いは麗しの街・原宿で、スポーツジム帰りの林檎がよからぬ相手に絡まれているところをはぐみが颯爽と助けたのがきっかけだった。

綺麗な黒髪にはにかんだような笑顔、しなやかで筋肉のついた身体に小麦色の肌。元カノにはあまりいなかったタイプの彼女を、はぐみは一目で気に入ってしまった。こういう女の子をたっぷり蕩かすように甘やかしてみたい。

狙った獲物は逃がさない性質のはぐみは、あれよあれよという間に林檎と連絡先を交換した。木村林檎、都内の大学に通う二十一歳。

そこから先は早かった。長年付き合っていた恋人に振られたばかりだったはぐみは、数多いるお友達を差し置いて木村林檎にそれとなくアプローチをし続けた。

自粛期間を迎える前は、二人で色々なところに行った。

林檎ははぐみが愛好するロリータファッションに詳しくなかったので、そのひらひらとした服装にまず興味を持った。林檎からすれば異文化の極みであろうそれに触れるべく、まず一緒にInnocent Worldの実店舗に行った。初めて触れるクラシカルロリータの世界を、林檎は目を輝かせながら見ていた。そのことも、はぐみの琴線に触れた。

他にも好きなところは沢山ある。どんな時でも「おはようございます」と言う癖が抜けないところ、ツイートに一々きっちりと句読点が付いているところ、それから箸袋を折ってささっと箸置きを作るところ、ワルツでも踊っているかのように綺麗な三角食べをするところ。

そういった何気ない好きなところを伝えると、林檎は大袈裟なくらい照れてはにかみながら「親がしっかりしてたからですよ」と言った。

「でも、育ちの良さはよく褒められるんです。二人の努力が認められたーって感じで嬉しいですね」

滑らかな箸使いで焼き魚をほぐしながら、林檎がそう笑う。

両親の育て方もあるのだろうが、私はそれを物に出来たあなたをこそ褒めているのだ、と思わなくもなかったが、それを言う林檎が心の底から嬉しそうだったので、黙っておいた。誇れるものはいくらあってもいい。ドレスの刺繍(ししゅう)がいくらあってもいいのと同じだ。

はぐみは笑顔で、言っておきたい言葉だけを口にする。

「そうね。あなたを構成する全てのものが愛おしいわ、林檎」

そういうわけで、はぐみは自分がどれだけ林檎に惹かれていて、どんな部分が好きで、彼女をどれだけ幸せにしたいかをまっすぐに語り続けた。恋愛において下手な小細工は要らない。駆け引きをするよりもストレートに好意を伝えた方がよっぽど成功率が高いのである。

現に林檎は、はぐみにすっかり気を許していた。自惚れではなくそろそろ付き合える頃合いだろう。手酷い失恋は新しい恋で癒やしたい。今のはぐみに必要なのは木村林檎だ。

期待に胸を燃やすはぐみの内心を知らずに、林檎は画面の向こうでなおもわたわたとしていた。

『ていうかバーチャル背景も上手くいってないですよね？』

「うん？　バーチャル背景というのは……」

『私の部屋見えてます？』

林檎の背景にはクリーム色の壁紙と、大きな茶色い壁掛け棚が映っている。壁掛け棚の框には『RINGO』という文字と林檎のマークが入っていた。恐らく手作りだろう。棚の中にはピーターラビットのぬいぐるみと、両親と一緒に写った家族写真がある。そんな写真を目に見えるところに飾っているあたり、林檎は本当に両親を慕っているらしい。

「映っているわね。素敵なお部屋が」

『うわー、ちょっと待ってください。変えますから』

そう言いながら林檎がマウスを操作すると、何の変哲も無い壁がいきなりオーロラに変わった。

『どうですか！　上手くいってます？』

「上手くいってるわよ。私としては林檎のこだわりのお部屋を見たかったのだけど」

『や、勘弁してくださいよ……。はぐみさんはお姫様みたいな部屋に住んでるけど、私の部屋はほんと普通なんで』

「その普通が見たいのよ。あの棚は手作り？」

『……ものっすごく小さい頃にお父さんが作ってくれたんですよ。ちょっと、子供っぽいですけど。ていうか、ぬいぐるみとかもちっちゃい頃の趣味で』

「それにしてはさっきのぬいぐるみ、殆ど退色が見られなかったわ。付いたままのタグもまだ綺麗だったし……あれは比較的新しいものよね？」

そう言うと、林檎が分かりやすく驚いてみせた。いけないいけない、とはぐみは密かに反省する。気づいたことをぺらぺらと口に出すことは、あんまりいい趣味じゃないだろう。軌道修正をするべく、はぐみは笑顔で続ける。

「私もピーターラビットが好きよ。お揃いの趣味をしてるなら嬉しいのだけど」

『え、はぐみさんもそうなんですか。……親って、子供が小さい頃好きだったものは一生好きだと思ってるとこありますよねえ……』

「その気持ちは分からなくもないけれど」

本当に小さい頃、はぐみの家でも同じようなことがあった気がする。シナモンクッキーが好きだと言ってから、おやつが毎回シナモンクッキーになり、飽きたと言い出すことも出来ずにずっと食べ続けていた。不器用で融通が利かないけれど、そこには愛があったような気がする。

『お父さんは、毎回私が子供の頃とおんなじくらい喜ぶと思って、ぬいぐるみとかキーホルダーを買ってくるんですよ。もうそんなに好きなわけじゃないのに』

そう言って、林檎が照れくさそうに目を細める。きっと、林檎の部屋にはあれだけじゃなく、沢山のピーターラビットグッズがあるのだろう。そして、林檎は何だかんだで毎回喜んでみせるに違いない。

もっとじっくりと部屋の様子を見せて欲しかったが仕方がない。病の流行が落ち着けば、林檎の部屋に上がる機会もきっとある。そうしたらそこで存分に堪能(たんのう)すればいい。部屋にあるピーターラビットを片手に思い出を聞かせてもらおう。

はぐみは笑顔で続ける。

「ところで、背景のオーロラが綺麗ね。アラスカかしら」

『撮影地は忘れちゃいましたけど……これ、今すっごく人気の写真家のやつなんですよ。オーロラのやつは代表作で』

「確かに綺麗だわ。見せたい誰かを意識した写真ね」

『ですよね！　こういう状況になったのを見て、その写真家さんがいきなり背景データを配布してくれたんですよね。だからオーロラ以外にも世界各国のエモい風景が設定出来ますよ』

「いいじゃない。旅行に出られた気分にもなるし」

ヴァーチャル背景を設定しようと思ったことはないが、そういう使い方は楽しいかもしれない、とはぐみは思う。ドレス姿で憧れのヴェルサイユ宮殿でお話しすれば気が晴れるかも。背景の設定自体は簡単なようで、林檎は次々に雄大な河や石造りの街の夕暮れなどを映し出す。

波の音が心地好い浜辺が背景として立ち現れた時は、流石に驚いてしまった。なんと背景には画像だけではなく動画も設定出来るらしい。あれこれ仮想の旅行を楽しんだ末に、林檎が最初のオーロラに戻ってくる。

『落ち着いたらはぐみさんと旅行行きたいですね』

「ええ、いくらでも行きましょう。何を隠そう私の学生時代の渾名(あだな)は世界を股にかける一人クリストファー・コロンブスだもの。私のスカートはパニエじゃなくて六大陸で膨らんでいるの。林檎の行きたいところならいくらでも連れて行ってあげるわ。行く先々で一本映画が撮れるほどのスペクタクルを約束してあげる」

『コロンブスは元々一人じゃないですか?』

困り眉でそう返す林檎に、またも胸がときめく。ああ、早く画面越しじゃなく会いたい。はぐみが求めているのは密に密を重ねたような濃厚接触なので、当然ながら今は無理だ。

せめてこの期間に愛が深まっていくことを祈る。

そんなはぐみとは裏腹に、林檎はなおも顔を曇らせた。

『はぐみさんと一緒に……ここじゃないどこかに行けたらいいのに』

「あら。……どうかした?」

『今、家の中の空気最悪なんです』

苦々しく林檎が呟く。その声のトーンに、はぐみもスッと襟を正した。

『お母さんが中学校の先生やってるんですけど……ほら、今リモート授業とか話題になってるでしょう』

「……それは由々しき事態ね」

「ええ。まさしくこれを使っての遠隔授業ね」

コツンとウェブカメラを小突きながら、はぐみは言った。

リモート授業は学校に行けない子供達の為に、カリキュラムを遠隔で行うという取り組みだ。はぐみの母校の大学でも、既にオンラインによる講義が導入されたと聞いている。しかし、それに対応出来る講義は限られていて、必要な単位要件を満たせない学生も多いとか。

『お母さん、めっちゃ頑張ってリモート授業の準備してましたし、夜中までずっと配信のチェックしたりしてたんですけど……結局土壇場(どたんば)になってやっぱりリモート授業は無しってことになって、頑張って準備したスライドとか動画とかも全部無駄になっちゃって……』

「……ああ、なるほど」

今もなお、世界の状況は目まぐるしく変わっている。これからに関する話もそうだ。一律で九月に始業するようにするとか、あるいは夏休みも冬休みも返上で授業を行うとか。かなり大きな部分すら、まだ対応が定まっていない。

変化を孕(はら)んだ展望だけが予防線のように放り込まれて、現場で働いている人々はそれに振り回されているのだろう。リモート授業だってそんなにスムーズに導入出来るものじゃない。林檎の母親のような地道な準備を行って初めて実現するかもしれない……というレベルの話なのだ。

『それでもうお母さんは完全にストレスでやられちゃったみたいで。……お父さんもバイトが休みになってずっと家にいるから、顔合わせると言い争いみたいな』

それは確かに居心地が悪いだろう。この状況下で休みということは、父親の勤め先は居酒屋の類だろうか。となると、しばらくその環境は好転しない。板挟みになった林檎のストレスは察するに余りある。

両親のことを笑顔で話していた林檎を知っている分、はぐみの胸も痛んだ。こういう時に完全な中立でいるのは難しい。間に挟まれた林檎は、どちらかに付くことを迫られる。

案の定、林檎はつよい口調でこう続けた。

『でも、ぶっちゃけお父さんの方が悪いんですよ。ネットの情報をあれこれ鵜呑みにしたのか、数日前から役に立たない癖にそわそわしちゃって。どう考えたって今回のことはお母さんの方が詳しいのに、あれこれ口出すから腹立つっていうか』

「無関心でいるよりはまだいい……とお父さんは思っているのかもしれないけれど。余裕が無くなってる時にとやかく言われると拗れてしまうかもしれないわね。ジャガイモ農家にジャガイモの芽の危険性を説いているようなもので……少し違うかしら。Angelic Prettyのデザイナーにジャンパースカートはドライクリーニングで、と説いているようなもので……」

調子を戻そうと軽口を叩いたものの、林檎の笑顔には力がなかった。

『とにかく、お母さんはほんとすっごく気にしてるんです。買ってきたものは全部消毒液で拭ってますし、消毒液の在庫が無いか朝から街中を巡ってますし』

「林檎の方も相当お困りのようね」

『そうなんです。……話す相手もはぐみさんくらいで。これじゃあ私の方もメンタルやられますよ』

林檎がまたも眉を顰める。——ということは、今現在において林檎にアプローチをしているのは私だけということね。思わぬ情報に、はぐみはふふ、と楽しそうに笑う。

ますます勝利への道が開けてきた気分だ。このままいけば十中八九、林檎は落ちるだろう。こんなに林檎の落下を待ち望んでいるのはニュートンか自分くらいだ。いや、ニュートンは別に待ってはいないか。

とはいえ、林檎の気の滅入り具合は深刻だった。

何かしらのケアが必要だろうけれど、遠隔で何かしてあげられるだろうか。はぐみは真剣に考える。今までは特に時間を決めずに通話をしていたけれど、開始時間を決めて生活リズムを作ってしまうのもいいのかもしれない。笑顔の一切を変えないまま、心の中で冷静に検討する。そんなはぐみに対し、林檎はなおも暗い顔で言った。

『でも、家族なんだから我慢しなくちゃいけないですよね。なのにこうして一緒にいるととにかく嫌なとこばかり見ちゃって。話すのも避けるようになっちゃって。私は部屋からも出ないようにしてて。いい家族じゃないですよね』

「あら、その考えは少し林檎に優しくないいんじゃない？　結局のところ、円満家庭は運が良い他人の集まりでもあるのだから」

はぐみは運良く起伏のない家庭で育ってきたが、コロナ禍が始まっても二度電話したくらいだ。しかし、それで特に険悪であるというわけでもない。流れるように巣立ち、そこからはたまに連絡を取るだけだ。時折交信を行う観測所のような距離感は、世間一般から想像される温かい家庭とは言えないかもしれない。ただ、悪くはない。

けれど、林檎は温かい家庭の正解が存在しているかのように語り続ける。

『でも、こんな時だから家族でコミュニケーションを取るべきだってお母さんも言ってますし。だから喧嘩になるのに無理矢理話そうとしたりして、その圧でまた喧嘩になったりして』

そのコミュニケーションが果たして本当にコミュニケーションになっているのだろうか。

家族が仲良く過ごすのは素晴らしいことではあると思う。けれど、一緒にいることだけが正しいわけでもないし、お互いに離れることが無理に話すより適正なコミュニケーションになる場合もある。

それに、家族だからといって繋がりを断ち切ってはいけないわけでもない。血の繋がりがあろうが一生会わなくてもいいのだ。そんなことは当事者が決めればいい。ただ、今の外出自粛で、林檎には選択肢が無い。

コロナウイルスは人間から密を奪ったけれど、同時に『疎』も奪っているのだ。

近づくことも離れることも許されないまま、人間関係は静かに軋みを上げている。

そこまで考えたところで、林檎の画面がふっと暗くなった。背景のオーロラも林檎の顔も見えなくなる。

『ひゃあ！』

「どうしたの？　林檎！」

『や、大したことじゃないんです！　なんか停電しちゃったみたいで……どうせ家電かなんかの使いすぎですよ。最近多いんです。元はこの時間帯、お父さんはバイトに出てるはずなので……』

「なるほど、そういうことなのね」

ネットでもそういう話は出ていた。生活リズムが違う家族が一所に集まるようになれば、生活様式が変わる。普段使わない家電を総動員すれば、ブレーカーだって落ちてしまう。おまけにここ最近は夏のような暑さだ。エアコンはかなり電気を食う。

「今だけアンペア数を上げる処置というのも出来るはずだけど」

『うーん、そういうのに強い人家族に全然いないんですよね』

「あれなら私が手取り足取り爪の先まで教えてあげるわ。そうしたらきっとアンペア得意人(とくいんちゅ)になるわよ」

何にせよ、停電によって会話が仕切り直されたのはありがたかった。愚痴(ぐち)は吐き出すべきだけれど、あれ以上続けていたら自家中毒を起こしてしまう。暗転から次の舞台に移るのは悪くない。

そうこうしている内に、タブレットのライトを起動させたのか、暗闇の中に林檎の顔が浮かび上がる。背後にはピーターラビット柄の掛け時計が映っていた。

「あら、林檎。さっきぶりね」

『うーん、折角(せっかく)の背景もこれじゃ駄目ですね。ちょっとブレーカー上げてきます。通話切らないでいてもいいですか？　正直、ちょっと怖くて……』

「ええ、構わないわよ。それならインカメラから外カメラに切り替えた方がいいかもしれないわね。懐中電灯代わりになるでしょうから」

『そうですね』

林檎が頷き、カメラを切り替える。ライトに照らされて、林檎の部屋がぼんやりと浮かび上がった。散らかっててすいません、と言う林檎がまた微笑ましくていい。

「足下に気をつけてね」

『うう、引っかけないようにします』

二階にある林檎の部屋からブレーカーに向かうには、階段を降りてリビングを通り、奥の洗面所に向かわなければならない。停電中であることを考えると、難易度の高い道のりだ。

タブレットのカメラは高性能で、暗い部屋の中も意外とはっきり見えた。林檎の進行方向に障害物があれば、はぐみの方が先に気がついたくらいだ。その度に林檎は几帳面にお礼を言い、そろそろと歩みを進めていく。

『うー、ようやくリビングですよ。開けますからね』

「警戒しすぎてまるでホラーゲームのようになってるじゃないの。いいわ、見ていてあげるから」

『開けまーす、うわっ寒っ！　クーラーの温度下げすぎだってぇ……』

「林檎だってエアコンの温度は二十三度が鉄板だって言っていたじゃない」

『あれはちょっと盛りました……本当は二十六度にしてます』

そんな会話を交わしながら、なんとかブレーカーを上げた時には、はぐみも安堵の溜息を吐いてしまった。洗面所がパッと明るくなり、乾燥機が回り始める。まるで家全体が息を吹き返したかのようだ。

『あー、よかった。やっぱり安心しますね』

「えらかったわね、林檎。怖かったでしょう」

『ありがとうございます。ていうか、お父さんも上げに来ると思ったのに……寝てるのかな？』

「もう九時を回っているから、やることが無いなら寝ていてもおかしくはないわね」

『それにお母さんもいないし……。ウイルスが心配だとか何とか言ってるのに、結構買い出しに行くんだよなぁ……』

林檎は小さくそう呟きながら、電気を消して洗面所から出た。

すると、さっきは暗くて輪郭しか見えなかったリビングが画面一杯に広がる。

よく片付いた綺麗な部屋だ。こんな時だというのに、床から飾り棚に至るまで埃一つ無く磨かれている。

棚の上にたっぷり中身の入った焦茶色の霧吹きが二つも置いてあるところは、今の日常を感じさせた。ご丁寧に「消毒用」とラベルが貼ってある。母親が買ってきたものを全て消毒している、という話を思い出す。

反面、テレビ台回りの掃除が甘いのは、メディア疲れを起こしていることの証左だろうか……なんて、くだらない推理を組み立ててみる。

点けっぱなしのテレビからはバラエティが流れていた。画面端にわざわざ『これは二月に撮影されたものです』と注意書きがされているのが生々しい。それで避けようとしているものが想像出来てしまう。本当に気が滅入る状況だ。

『というか、エアコン消しとこ。また停電になったら嫌だし。……って、本当に設定二十三度だ。ウイルスに低温が効くとか見たのかな。お父さんそういうの信じがちだし』

「残念ながらこれ、冬から流行ってるウイルスなのよね」

『そうですよねえ……というか、はぐみさんに見られてると思うとなんだか恥ずかしいですね』

「センスの良いリビングね。カーテンも家具の色も綺麗に纏まっているもの」

そう言いながら、ふとテーブルや棚の奇妙な統制に気がついた。

置かれた木製の家具は、どれも同じ作風で統一されていて、味も劣化も同じだけ蓄えている。愛情深く磨かれたそれらは、林檎の部屋の壁掛け棚と同じ雰囲気を纏っていた。それを察したのか、林檎が先に口を開いた。

『お父さんはね、昔家具作る人やってたんですよ。だから、そういうのに強くて』

懐かしむような林檎の声が心地好い。そう思った矢先に、林檎が唸り声に近い悲鳴を上げた。

『あ――！』

林檎が身体を捻るのに合わせて、間接的に胸に抱かれているはぐみもそちらを向く。そのままカメラが揺れ、林檎と一緒にはぐみの視界も移動した。

画面の揺れが収まった時に映っていたのは、何の変哲も無いシステムキッチンだった。こちらもリビングと同じく整理整頓されている。

シンクの中にはお洒落な異国風の空き瓶があった。

「あら、それアブサンね」

『アブサン？』

「ハーブ系のお酒よ。ミルクと砂糖をめいっぱい入れて飲むと美味しいの。独特の味だけど、とっても飲みやすいのよね」

はぐみは現代に生きる貴族であるので、アルコールが好きだ。暇な時は自宅でカクテルを作り、優雅に嗜むこともある。アブサンははぐみのミニバーの中にあるラインナップだ。爽やかで甘くなく、そして何より――。

『……最悪』

吐き捨てるような林檎の言葉で意識が引き戻される。カメラは動かず、シンクに置かれた空き瓶を映し続けていた。即ち、林檎もずっとこの瓶を見つめているということだ。

「どうしたの、林檎」

はぐみはワントーン落とした声で静かに尋ねる。彼女の地雷がこの空き瓶にあることは間違いない。

『私のお父さん、酒クズなんです』

その言葉に合わせて、また画面が揺れた。

『昔っからお酒飲んで暴れて、色んなところに迷惑かけて。その所為でお母さんとも何度も喧嘩になって。仕事だってそれで辞めることになって。結局、アル中専門の治療施設に入って、お母さんも献身的にリハビリに付き合って……それでどうにか止められたんですけど……。それからも我慢が利かなくなる時があって』

外カメラにしている所為で、はぐみには林檎の表情が分からない。

それでも、彼女が泣く寸前であることは察せられた。家庭内不和の理由を導く最後のピースが嵌まる。距離を取ることでどうにか爆発しないでいられた家族が、同じ屋根の下で擦り合わされる状況。

『手、震えると細かい作業とか無理でしょ。だから、もう新しいもの作れないの。はぐみさん、あの棚……』

「あの棚……ね、」

林檎が何を言うかが、はぐみにはもう分かっていた。座った林檎を映しているのに、はっきりと見えたあの棚。

『あの棚、私の背にはもう合わない……』

けれど、あの棚をもう付け直せないのだ。代わりのように買い足されていくピーターラビットは、もう林檎のお気に入りじゃない。周回遅れの愛情に、何故か背筋が寒くなる。

何と言おうか迷っている隙に、画面に林檎の手が映り込んできた。そのまま林檎の手が空き瓶を摑み、またもカメラが動く。林檎が移動を始めたのだ。

『ゆるせない。もう飲まないって言ってたのに。だって、こんなことありますか？　確かにこんな状況でストレスが溜まるのは分かるけど、だからって一番して欲しくないことをするなんて』

「ちょっと、落ち着きなさい、林檎。どうするつもり？」

『問い詰めます。停電に気づかなかった理由も分かりましたね。どうせ酔い潰れて寝てるんだ』

まずいな、とはぐみは思う。林檎は完全に平静を欠いている。このまま父親と話したところで事態がよくなるとは思えない。そもそも、本当に父親が寝ているんだとしたら、叩き起こすことこそ最悪手だ。はぐみは画面の向こうの林檎へ懸命に呼びかける。

「林檎！　そんな状態で話してもよくないわ！　みすみす無益な言い争いをするつもり？　それは頂けないわね。今のあなたは罵り合いをしたいだけの子供と変わらないわよ」

『はぐみさん繋いでてくれるんでしょ！　大丈夫ですよ！　私そんな、はぐみさんの前で分別無く怒ったりしません！　聞くだけですから！』

「参ったわね。分別無く怒っている人は、往々にして自分に分別があると思うものなのよ。周りがちゃんと見えていると思うものなのよ。青い鳥は家にはいないのに……」

もうはぐみの言葉を聞いてもいないのか、林檎は適当な相槌を打ちながら廊下を進んでいく。やがて足が止まり、空き瓶を持ったままの手が器用に扉を開けた。

『うわ、蒸し暑……』

その言葉だけがやけに落ち着いて響く。次の瞬間、今までに無いくらい画面が揺れた。

正確に言うなら、跳ねた。

硬質な弾みをつけて、はぐみの視界が横になる。画面の端にアブサンの空き瓶が転がっていく。どうやら林檎は手に持っていたものをまるっと落としてしまったらしい。

そして、跳ねたタブレットは上手いこと近くの障害物に立てかけられたというわけだ。ナイスコントロール！　それにしても一体どうして？　──その答えは目の前にあった。

画面に映っているのは、床に倒れたスウェット姿の男だった。体格が良く、どことなく林檎のルーツを感じさせる顔立ちをしている。男は固く目を閉じており、その肌にはおよそ生気が感じられない。

後頭部には粘ついた血液が付着していた。

そのお陰で画面越しでも、最悪の事態が分かってしまう。

『……おと、お父さん、』

林檎が倒れた父親に縋り付く。そして、すぐに飛び退いた。肉親が死んでいるという事実に耐えきれなくなったのかもしれない。死体が持つ独特の空気は、慣れていない人間にはキツすぎる。画面越しのはぐみだって、辛いものは辛い。

そのまま林檎はずるずると這いずるようにフレームアウトしていった。思わず「林檎！」と叫ぶと、また画面が揺れる。林檎がタブレットの存在を思い出したのだ。

『す、ごめ、ごめんなさ、落としちゃって』

「いいの。大丈夫よ、林檎」

『お、お父さん、お父さんが、はぐみさん、どうしよ』

林檎が震える手でタブレットを持ち上げ、死体を上から映す。死体の周りには床に直置きされた漫画本が散らばっている。はぐみも読んだことのある有名な戦記ものだ。一から五巻までと、何故か飛んで八巻、そして十二巻が二冊ある。またも画面が揺れた。本棚の空いたスペースが映し出される。どうやら、漫画本はそこから抜き出されたらしい。

『ううう、どうしよう、助けてはぐみさん』

部屋の物に気を取られている間に、林檎はいよいよ泣き出してしまった。いきなりカメラがインカメラに切り替えられ、画面の端に真っ赤な顔の林檎が映る。あとは殆ど天井と再起動されたエアコンしか映っていない。

「ちょっと、林檎……！　あなたほぼ映っていないわ、お顔を見せて」

『うう、ううう……はぐみさあん』

手元が覚束ないのか、カメラがまたも外カメラに切り替えられる。またも死体とご対面だ。あまり嬉しくない画面に、はぐみは小さく溜息を吐く。ともあれ、まずは林檎を宥めなければ。

「林檎。大丈夫、大丈夫よ。落ち着きなさい。……私がいるわ。深呼吸をして」

林檎が嗚咽を漏らしながら、ゆっくりと深呼吸をする。そのまま数拍待っていると、画面の震えがややマシになった。これなら大丈夫。林檎はちゃんとこちらの言葉に従える。なら、やりようはいくらでもある。はぐみは彼女を刺激しないよう、なるべく優しい声で続けた。

「いい子ね。流石、私の林檎だわ。窓の鍵が締まっているか見てくれないかしら」

『締まってます。……多分……』

画面が揺れ、今度は窓の方を映し出す。シンプルなクレセント錠は、しっかりと施錠されていた。外から誰かが入ったわけじゃない。まあステイホームだものね、と反射的に考えてしまう。

「念の為に用心してね。恐らくそこに危ない人はいないと思うのだけど」

『うん……はい……気をつけます』

「えらいわ。床に危ないものは落ちていない？」

『無いと思います……散らばってるのは漫画ばっかりで……』

言いながら、林檎がカメラを動かす。そう広くもない部屋の全容がこれで分かった。奥にシングルベッド、その脇に机があって、ヘッドセットの接続されたノートパソコンが載っている。

その他は本棚とテレビ。あとは畳まれた段ボール箱。不用心にも伝票が貼りっぱなしになっているので、その箱がはるばる東北からお酒を運んできたことが分かる。多分、例のアブサンだろう。送り主が個人名だから、知り合いからの贈り物らしい。日付は今日の午前中だ。……今日、とはぐみは反芻する。

床は意外にも綺麗で、漫画本以外に散らばっているものはない。

「……後頭部に血で、凶器は無し。どこかに頭を打ち付けたのかしら」

はぐみがそう呟くと、林檎は「そうだ！」と小さく叫んだ。

『お父さん、きっと停電したからブレーカーを上げに行こうとしたんだ。でも、酔っ払ってるし暗くて、床に置いてた漫画に躓いて……それで、死んじゃったんだ』

話している内に、林檎がどんどん涙声になっていく。

確かに、そう推理出来なくもない状況だった。テレビの置かれている台の端には微かに血が付着しているし、散らばった漫画は足を取られる理由としてはそれらしい。

けれど、この部屋の微かな違和感が林檎の推理を崩そうとする。はぐみは息を吐いて少しだけ迷う。

この違和感を指摘して新たな道筋を提示したところで、一体どう転ぶのかが分からない。そもそも、はぐみの見立てが正しかったとして、どう解決したら林檎の為になるのか。それがまだ不明瞭なのだ。

ややあって、はぐみが口を開こうとした瞬間、ばたばたと誰かがやってくる足音がした。

『林檎？　どうしたの？』

『あっ……お母さん⁉　ねえ、お母さん、これ……』

カメラが回る。画面酔いも恐れない激しいターンだ。どうやらはぐみがタブレットの中にいることを忘れてしまったらしい。目を細めながら揺れに耐えていると、林檎によく似た年嵩の女性が映し出された。彼女が林檎の母親か。目元の感じが特にそれらしい。元々は林檎同様綺麗な女性だったのだろうが、ストレスからかその表情は張り詰めていて余裕が無いように見えた。

『ちょっと、嘘でしょ——⁉』

床の死体に気がついた母親が悲鳴を上げる。それに合わせて、林檎も身を震わせた。母親の手にあったビニール袋が落ちて、中身が部屋の中に散乱してしまう。

『何が起きたのか分かんないの。へ、部屋に来たらこうなってて……』

『どうして……⁉　さっきまで元気だったのに……！　……林檎、まさか停電あった？』

『う、うん。いつもの、ブレーカー上げたら直ったんだけど……』

『やっぱり、いきなり切れたと思ったら……』

そう言って、林檎の母親が手のタブレットを操作する。すると、今まさにはぐみと林檎が使っているWeb会議サービスと同じ画面が開かれた。そこには、まだ息災な父親が映っている。くたびれたスウェットの袖口を弄りながら、父親はおずおずと尋ねた。

『これ、映ってるか？　まだ慣れてなくて』

『映ってるわよ。欲しいものがあったら言って』

『なあ、やっぱり買い出しくらい俺も自分で……』

『駄目だって言ってるでしょう！　家庭内で二人も外に出るなんて！　それでどれだけ感染リスクが高まると思ってるの？　それで家族を危険に晒したら責任は取れるの？』

厳しい声で窘められ、父親が身を竦ませる。言っていることは一理無くもないのだが、あまりに神経質になりすぎている気もする。——このお父さんは一体どれくらい外に出ていないのだろう？　と、はぐみはそちらの方が気になってしまった。

どうやら、通話画面を録画していたらしい。そこでは父親があれこれ買ってきて欲しいものを言い、母親の方が応じている。次の瞬間、会話の最中に突然通話が切れた。

『これって……急に切れたけど……』

『そうなの。何なのかと思ってたけど、停電してたのね……』

『そう、それで、お父さん多分ブレーカー上げようとした時に足を滑らせて……』

林檎の言葉に、母親が大仰に頷く。

『お母さんも通話してたんだ』

『コンビニへ買い出しに行く前に、お父さんに欲しいもの聞くの忘れたから……他のツールの方が楽なのに、あの人、ネットで妙な知恵つけたのかやたらこれ使いたがるのよね。何も分かってないのに、この間もマイクの設定がどうとかうるさくて』

母親が忌々(いまいま)しげに吐き捨てる。

『この動画は？』

『メモ代わりにタブレットで画面録画してたんだけど。……まさか、これが……』

そこで言葉が切られた。続く言葉は何だろうか。最後の言葉になるなんて？　最後の姿になるなんて？　あるいは、……アリバイになるなんて、だろうか。はぐみは息を詰める。

自分がタブレットの中にいることを悟られないように耳を澄ませる。

『と、とにかく、警察を呼ばないと……』

『警察を呼ばないと？　ああ、そうね……そうだわ。私が呼んでくるから。林檎は部屋に戻っていなさい』

母親は一瞬訝しげな顔を見せたが、そのまま林檎を廊下へと押し出してしまう。カメラが長い階段を映し出し、困惑したまま部屋に戻る林檎の様子を間接的に伝えてくる。そうして林檎が部屋に帰り着くなり、はぐみは唐突に話しかけた。

「林檎」

『うひゃあ！』

またも画面が跳ねる。取り落とされたタブレットは今度こそ床に着地し、はぐみは暗闇の中に閉じ込められた。着地失敗。

「驚かせてごめんなさいね。それはそれとして、こうして林檎の手の中で転がされる感覚を味わえるというのも、なかなかどうして味のあるものなのね。いいようにされているみたいでちょっと興奮するわ」

『は、はぐみさん！　ごめんなさい、繋いでるの忘れて落としちゃって……』

「それはいいのよ。むしろタブレットの方が心配だわ」

『それはケース付けてるので！』

タブレットが拾い上げられ、再び開けた視界が戻ってくる。

「にしても、長い旅になってしまったわね。ブレーカーを上げに行っただけなのに」

『本当ですよ……』

林檎が弱々しく返す。

『でも、はぐみさんがいてくれたから、ちょっと落ち着きました。私一人だけじゃ本当にパニックに陥ってたかもしれないし』

「私は何もしていないわ。それは林檎がしっかりしていたからよ。本当にえらかったわね」

『ええっ、そうですか？　……はは、だったら嬉しいんですけど……あ、ずっと外カメにしてましたね。すいません。今インカメに直します』

その言葉と一緒にカメラが切り替わり、林檎の顔が映し出される。

停電以来だから、一時間近くご無沙汰だった計算になるだろうか。林檎の顔は明らかに憔悴（しょうすい）していて、頬（ほお）には涙の跡がある。それでもはぐみの前だからこそ、林檎は無理にでも笑顔を作っているのだ。

その健気（けなげ）さが嬉しいし、愛おしかった。

だから、一瞬だけ躊躇（ためら）った。

林檎とこの話が出来るのは、この数分だけだろう。今じゃなければ意味がない。

ただ、明らかに傷を負っている林檎にこんなことを話すのは酷だとも思った。はぐみだって本当はしたくない。

それでも、はぐみは静かに言った。

「林檎、私はあなたのことが好きよ」

『え？　……え？　ちょっ、はぐみさん？』

「あなたの芯が強いところ、よく気がつくところ、私の前で可愛くあろうとしてくれるところが好き。そんなあなただから、私はこの話をしようと思ったの」

『どういうことですか？　あの、そう言っていただけるのは嬉しいですけど、その、はぐみさん、何で急に……』

「これは立場の表明ね。言っておくけど、私は探偵ではないわ。あなたに好意を持っている一人の人間でしかない。だから、この真実を見過ごしても私は何も言わない。もしあなたがこれを無かったことにしたいなら、それでも構わないの。人間は真実に向き合わなくちゃいけないわけじゃない。宿命にも家族にも、必ずしも向き合わなくていい。私たちは十全に生きているだけでいい。ただ、私はあなたを信頼してもいるのよ、林檎。あなたは何が自分にとって最善かを選び取れる。向き合うことが最善だと思うのなら、それもまた正しい」

　そこまでをはぐみは一息で言った。話についてこられていない林檎は、ただただ目を丸くしている。これは理解しなくていいのだ、とはぐみは思う。まずは気持ちが伝わっていればいい。

林檎がちゃんと理解しなくてはいけないのはここからだ。

一瞬、リビングの様子が思い浮かぶ。父親が作った家具に囲まれた綺麗なリビング。あれが今までずっと綺麗に保たれていた。大切にされていたのだ。

なるべくフラットに、余計な色を載せないように、はぐみは言う。

「お父さんを殺してしまったのは、あなたのお母さんよ」

それからたっぷり十秒ほどの沈黙があった。

『……えっ……と、はぐみさん、どういう意味ですか?』

「これはレトリックや比喩ではなく、その通りの意味よ。あなたのお父さんは恐らく足を滑らせていない。お母さんに突き飛ばされたんじゃないかしら」

『だって、部屋には漫画が……足を引っかけるものがあって……』

そう、あの漫画本だ、とはぐみは思う。

床に散らばったあの本を見て、まず違和感を覚えた。あの時から既にはぐみは、これに躓いたという筋書きを疑っていた。

「床に漫画を置く時って、考えられるのは棚の整理をする時か、あるいは棚に戻すのが面倒で一旦置いておく場合よね」

『そうだと思います。お父さん、結構ずぼらなとこあって、漫画とかも纏め読みしては床にタワー作ったりしてましたし……』

「そうね。でも、一気読みをし終えてタワーを作ったんだとしたら、ちょっと不自然なのよ。一気読みにしては巻数が空いてバラバラだったし、散らばってる中に十二巻が二冊あったでしょう?」

『ありましたけど……。ダブって買っちゃうこともありますよね?』

「ダブって買うことはあるけれど、一気読みしようっていうのにダブって取るかしら。だから私は、あの漫画本が本棚にあったものを適当に抜き出して散らばらせたように見えたの」

その言葉で、林檎も意図を理解したようだった。

『……足を滑らせたようにみせかける為に?』

「そうね。いくら停電中であっても、何も無いところで足を滑らせるのは不自然だもの。恐らくお父さんは自室で死んだのではないわ」

『そんな……じゃあ、どこで』

「後からこんなことを言ってごめんなさい。多分、リビングだわ。あの飾り棚の辺り、床も含めて綺麗だったわよね。きっと、あそこを綺麗にしなくちゃいけない理由があったのよ。そこと頭を打った死体を結びつければ自ずと答えは分かるわ。警察に話す時に飾り棚の話をすれば血液反応が出るでしょう」

リビングを見た時の自分の感想を思い出して、今更恥ずかしくなる。何がメディア疲れをしているからテレビ台の周りの掃除が甘い、だ。あの周りを綺麗に掃除する理由が無かっただけじゃないか。

『で、でも……停電が起こる前に、お父さんはお母さんと話してたじゃないですか！　そうですよ！　お父さんがリビングで死んだなんて……嘘です！』

「……そうね。林檎はそう言うと思っていたわ。きっとあなたにそう言ってもらう為に、お母さんはこんなことをしたのでしょうから……」

それなのに、はぐみはそれを突き崩そうとしている。それを思うとどうしても気分が沈む。ややあって、はぐみは言った。

「あれがどういう仕組みか、林檎にも分かっているんじゃないかしら？」

『どういう仕組みかって……そんなの分かるはずないです！』

「林檎が今日話してくれたじゃない。バーチャル背景のこと。あれって動画も設定出来るんでしょう？　それを使って通話をしているように見せかけることは出来るわよね」

あのビデオ会議ツールが流行った時に、冗談めかして語られていた話を思い出す。退屈な会議や講義の時に、動画の自分に肩代わりしてもらえばいいんじゃないか、と。けれど、林檎は画面の向こうのはぐみを睨むようにして吐き捨てた。

『そんなの上手くいくはずがないじゃないですか！』

「そうね、確かにこのやり方には問題があるから、ある特定の状況下でないと駄目なのよ」

あっさりと肯定したはぐみに、林檎が一瞬虚を衝かれたような顔になる。彼女が言葉の意味を考えている間に、はぐみが畳みかけた。

「時に、動画背景によっての偽装で一番問題になるのは何だと思う?」

『えっと……動画相手だから、会話が成立しないっぽく見えるとか……ですか?』

憤っていたはずの林檎が、真面目にそう返す。それに対し、はぐみはゆっくりと頷いてみせた。

「多人数相手ならそれもあるかもしれないわね。でも、一対一で調子を合わせるのはそう難しくはないわ。そもそも相手が何を言うのか分かっているのだもの。むしろ、この場合難しいのは終わり方なの」

『終わり方?』

「動画を流している以上、いずれ終わりが来るでしょう。けれど、動画背景では、すぐに先頭に戻ってループが始まってしまう。数秒でもループが流れたら終わり。その時点でこの偽装は破綻してしまうわ」

動画背景での偽装が現実的じゃない一番の理由はこれだろう。背景に設定する動画が終わるとともに通話を切るような仕組みが無ければ、終わり際にあっさりバレてしまうのだ。手動で切るなら、結局本人がパソコンに張り付いていなければならず、そもそも大した意味が無い。

「自然に通話を終わらせるにはパソコンの隣に控えているしかない。けれど、今回林檎のお母さんは外にいたものね。この手は使えない。だから、代わりに停電を起こしたんだわ。そうすれば通話を強制終了させられるし、暗い中で足を滑らせたというシナリオも作れる」

それに、もしあの父親の映像が買い物メモ代わりに事前に録画した映像だったのだとしたら、あそこから不都合な話を――例えばその日の感染状況などの日時のズレを感じさせる話を――していたかもしれない。けれど、母親の側が話の途中で無理矢理通話を切ったのでは不自然だ。だが、既に死んでいる父親が通話を切ってくれることはない。

だから、停電によってパソコンごと落としてしまうしかないのだ。

『でも、お母さんは通話中に停電が起こるってどうして分かってたんですか？』

「恐らく意図的に引き起こしたんでしょうね。ステイホームで家電の稼働率が上がり、それが原因で停電が起こるって言ってたでしょう？　何度か起こっていたのなら、どのくらいのアンペア数で……どの家電を同時刻に稼働させればブレーカーが落ちるかは分かっていたんじゃない？」

『それは……。……あ、リビングがあんなに冷えてたのって……』

「流石よ、林檎。賢いわね。リビングはクーラーもテレビも電気も点けっぱなしだった。それが停電を起こす為のものだったのなら納得がいくでしょう？　そういえば、洗面所の電気も点いていたし」

林檎の母親はきっちりした性格だと聞いている。そんな彼女が買い物に出る際にあれこれ点けっぱなしにするとは思えない。あれは全部わざとやったのだ。

「そうしてギリギリのところまで家電を稼働させておけば準備完了。あとはお父さんの部屋のクーラーに入タイマーをセットするだけでいい。十分か二十分後にクーラーが稼働したら、それがきっかけで停電が起こるようになっていたでしょうから」

『……そんな』

林檎が信じられないとでも言いたげに口元を押さえる。

「これに気がついたのは林檎のお陰よ」

『私の……？』

「お父さんの部屋に入った時に、林檎が『暑い』って言ったのよね。だから、あの部屋のクーラーは点いていないんだと思ったの。でも、実際は停電が明けてちゃんと再起動していた。ということは、あのクーラーが点けられたのは停電の直前ってこと。それで、あの部屋のクーラーが停電の起爆剤だって分かったの」

言いながら目を伏せる。画面の向こうの林檎は悲しそうな顔で唇を噛んでいた。

「もう分かったわね。残念ながら、私の推理は当たっていると思うの。……どうして私がこのタイミングで探偵ごっこを始めたか分かる？」

『分かんない……です』

「今なら自首を勧めることも出来るからよ。あなたの説得なら聞き入れるんじゃないかしら」

『自首って……私がお母さんに言わなくちゃいけないんですか……？』

「そう。言えるのはあなたしかいないわ。部屋で林檎を見つけるなり、お母さんはまるで弁明するように通話記録を見せてきたわね。あれは多分、あなたに一瞬でも疑われたくなかったのね」

むしろ、そちらが本命だったのかもしれない。父親を殺してしまった時、彼女は警察に捕まることよりも木村林檎に疑われることの方を恐れたんじゃないだろうか。林檎が事故死だと自分から言い出した時はさぞかし安心したことだろう。

「だから、あなたがもう真相を察していると知れば、お母さんはある程度諦めると思うの。……勿論、そうしなくてもいい」

『そうしなかったらどうなるんですか』

「そうね、警察が思いの外優秀なら当然のように捕まってしまうかもしれないわね。けれど、もしかしたら警察はこれを事故と処理するかもしれない」

それに、林檎が上手く口裏を合わせれば誤魔化せる可能性も上がるだろう。はぐみは林檎の目をはっきり見て言った。

「勿論、私は探偵ではないから、この話を余所ですることはないわ。気が進まないというのなら、そんなことはしなくてもいい。あとは警察に任せなさい」

ちらりと時計を確認する。インターバルはそう長くない。警察が家にやってきて事情を聞き始めたら、どうしたって事態は動いてしまう。ただ、自分の母親の罪を暴き立てることは、彼女が無理にやるべきことじゃない。おまけに、林檎は人一倍両親のことを大切に思っていたのだ。その苦しさは計り知れない。

林檎は沈鬱な面持ちで唇を噛んでいた。悩んでいるのだろう。当然だ。けれど、悩める時間もそう長くない。何か声を掛けようとした瞬間、林檎が小さな声で言った。

『お母さんは何でお父さんのこと、殺したんでしょう……』

「故意ではないと思うわよ。きっと口論か何かになって、うっかり突き飛ばしたところにあの飾り棚があったんじゃないかしら。殺すつもりで臨んだなら、別の方法を選ぶでしょうし」

『そうですよね。……ヒートアップしちゃっただけですよね』

「私はそう思うわ」

『……原因は、あれでしょうか』

林檎が指し示しているものが何かはすぐに分かった。

かつて家に不和をもたらし、あの林檎が過剰反応を見せたものだ。

『お酒の瓶を見て、お母さん怒ったんでしょうね。当然ですよ。お父さんが働けなかった時、お母さんが必死に働いて、お父さんのケアもして、……それがどれだけ大変だったか、私は知ってます。……禁酒するって言ってたのに、どうして一丸となんなきゃいけない時に裏切るなんてこと……』

「それなのだけど、お父さんはもしかしたら禁酒の誓いを破っていないかもしれないわよ」

はぐみは苦しげに言う。

『なら、あのお酒の瓶は何なんですか？』

「アブサンの瓶ね……。あのお酒を見た時に気がつくべきだったわ。お父さんはネットでウイルス対策のことをあれこれ調べていたのよね？」

『そうみたいですけど……お父さんが話すことなんて白湯を飲めばウイルスが死ぬとかそういう役に立たないものばかりで……』

「リテラシーが無いとそういう情報にアクセスしてしまうのは仕方がないわ。でも、何かしたいっていうのは本当だったんじゃないかしら。消毒液が無いと近所を探し回るお母さんを見て、何か出来るかもしれないと思ったのよ。だから、お父さんはアルコール好きの友人の伝手を使ってでも、度数七十度のアブサンを取り寄せた。消毒液の代わりにする為にね」

『消毒液の代わりに……』

アブサンははぐみもよく飲んでいるものだ。ハーブ系の味わいでミルクで割ると飲みやすく、度数が高いから他にも様々な割り方で楽しめる。お酒好きの父親ならではの通なチョイスだが、すぐに空になるようなお酒じゃない。

「飾り棚の上に霧吹きがあったでしょう。きっと、あの霧吹きの中身がそっくりアブサンだわ。霧吹きは遮光のために茶色く塗装されていたからあの時は分からなかったけど」

当然、度数が高いアルコールがそのまま消毒液として使えるわけじゃない。あれだってインターネットに転がっている俗説の一つだ。

けれど、何をしていいか分からないまま、ずっと部屋に閉じこもっていた父親にとって、あの情報は自分が家族に役立てる唯一のチャンスだと思ったのかもしれない。アルコールの入手に伝手があり、アブサンを手に入れられたら家族の目も変わるかもしれない。

ただ、結果はこうなってしまった。アブサンの空き瓶を見つけた母親はその時点で林檎のように激昂(げっこう)したのかもしれない。あるいは、そんなデマに踊らされたこと自体が火種になったのだろうか。何にせよ、口論の末に父親は死んだ。

『……じゃあ、いけないのは私達……だったんですか?』

林檎は消え入りそうな声で言った。

「本当にそう言っていいの? それは頂けないわ。隠蔽(いんぺい)しようとしたのはいけないことだけれど、これは誰かの努力が足りなかったからこうなったのかしら。……少し巡り合わせが悪かっただけ。林檎の家が特別悪かったわけじゃないの」

そう言いながら、巡り合わせとは何だろうと考える。もし林檎の父親が予め説明していたら。インターネットの情報を鵜呑みにしてアブサンを取り寄せたりしていなかったら。あるいは母親がコロナ禍でこんなに追い詰められていなかったら。結局のところ、全部がウイルスの所為であるような気もしてしまうし、そう言いたい気持ちもある。

ただ、それで林檎が、そして母親が納得出来るかはまた別の話なのだ。

はぐみは思わず林檎の方に手を伸ばす。ノートパソコンの画面に触れて、爪が微かな音を立てた。その頬に触れられないのがもどかしい。その距離を縮めたくて、はぐみは言う。

「大丈夫。大丈夫よ、林檎。私はここにいるわ。……私はあなたの側に」

心の底からそう言っているはずなのに、少しも伝わっている気がしない。はぐみは焦燥とともに思う。――私と林檎の間にあるものは何だろう？　私は林檎に何をあげられるのだろう？

その時、林檎が不意に振り向いた。そのまま林檎がタブレットを置き脇目も振らず部屋を出ていく。階段を降りる音だけが遠くに聞こえる。彼女が聞いた音が何なのか、それを聞いた林檎がどんな選択をしに行ったのかはもう分かっていた。

はぐみは通話を切り、パソコンの前で深い溜息を吐く。

通話を切ってしまえば、この部屋はどことも繋がっていないただの箱でしかなかった。

ヘッドセットを外して、換気の為に窓を開けた。外はすっかり夏の空気になっていて、蒸し暑さに顔を顰めた。

しばらく不快な風に身を委ねていると、どこからかピアノの音が聞こえてきた。つっかえながら演奏される『Fly me to the Moon』は、今家で過ごす大半の人間の気持ちを代弁しているようで、そのお誂え向きの選曲が、はぐみは少しばかり気に食わない。

ゴミ箱診療科のミステリーカルテ

不要不急の殺人

津田彷徨

津田　彷徨（つだ　ほうこう）

1983年、兵庫県生まれ。
内科医として勤務する傍ら執筆活動を開始し、
2014年『やる気なし英雄譚』（MFブックス）でデビュー。
ほか『ネット小説家になろうクロニクル』（星海社FICTIONS）、
『転生太閤記』（カドカワBOOKS）などの著作がある。

プロローグ

「確かに瞳孔散大し、呼吸はなく、脈拍も触知しません。相沢弘恵さんは……間違いなくご永眠されました」

聴診器を外し、頸動脈から手を外した僕は、目の前で横たわる老人に向かい頭を下げる。

わずかばかりの沈黙。

それを破ったのは、背後から向けられた確認の問いかけであった。

「柊先生、ご永眠ということは相沢さんが亡くなられたということで間違いありませんね？」

初老の男性……この老人ホームの所長を務める三浦さんは、恐る恐るといった体でそう尋ねてくる。

いや、彼がそう尋ねてくるのも無理はない。

ほんの数時間前までは、普通に会話もできたし、目立って変わった様子もなかったからだ。

だからこそ最後に診察を行った僕も、この不可思議な状況に戸惑いを覚えずにはいられなかった。それ故、自然と僕の返答は言葉少なになる。

「はい、そのとおりです」

「でも、なぜこんな急に。ついさっきまで、普通にお話もできましたよね。なのに……」

所長の隣から向けられた疑念の声。

その声の主である研修医の宗方(むなかた)は、未だにこの現実が信じられないとばかりに、何度も首を左右に振りながらそう口にする。

だが僕が口を開くより早く、所長の三浦さんが宗方の疑問に答えた。

「先生は研修医でいらっしゃいましたよね。まだご経験されたことはないかもしれませんが、高齢者ばかりの施設をやっていますと、稀(まれ)に突然入所者さんが亡くなられることはあります。もちろん決して慣れるものではありませんが……」

三浦さんはそれだけ述べると、強く唇を噛(か)みしめる。

その表情には明らかな無念が見て取れた。

それは入所者を突然亡くした自責の念によるものかもしれない。

いや、確かに僕も、これまで予期せぬ突然死には何度も立ち会って来た。

外傷性出血、心筋梗塞、大動脈解離……その他、無数の疾患を前にして、僕は幾度も自らの無力を味わわされ続けて来たのだ。

そしてその新たな一ページに、この相沢さんが加わった。

それは間違いない事実だ。だが……

「柊先生、死亡診断書はどうされますか？　先ほどの症状から考えると、コロナ関連死にはなりませんよね」

これまで沈黙を保ってきた看護師長の藤間さんは、僕たちの重い空気を察してか、努めて冷静な口調で次にやるべきことを促してくる。

「相沢さんがコロナ感染を疑われＰＣＲ検査を行ったのが昨日。おそらく今の検査状況ですと、結果が出るのは明日になります。ですが、症状から考えると、別の原因の可能性の方が高いのは間違いないと思います」

「となると、いずれにせよ死因の鑑別が必要ですよね。内因死はもちろん、やはり何らかの外因死や殺人の可能性も鑑別すべきじゃないですか？」

僕の発言を受け、宗方は何故か目をキラリと光らせると、そんな問いかけを口にする。

ああ……彼女の悪癖が出た。

彼女はいつもそうなのだ。

疑問や疑念が生まれれば、あらゆる可能性を検討しなくては落ち着かない。

嘆かわしいことにそのあたりが、彼女の叔父にして我が変人上司と同類ではないかと、そんな風に考えてしまうゆえんだろう。

「ま、待ってください。外因死というか殺人って、何か事件性があったことを考えられているのですか？　それはありえないです。何しろこの部屋は、他の入所者さんのコロナ感染リスクを考え、部屋の中にビデオカメラを設置していました。間違いなく先生方の診察以降、誰もここに入ってきてはいません」

「なるほど。それが事実だとすると、これが万が一殺人だとしたらいわゆる密室殺人……つまり不可能犯罪だというわけですね」

空気を読まない発言に動揺する所長と、一向にこの不穏な空気を読んでくれない宗方。

僕はそんな二人の対比に頭を抱えながら、この不可解な急死に対して思いを巡らせる。

なぜ僕が病院でもないこんな場所で、こんな目に遭わなければならないのか。


それは全て、あの敬愛するにあたわざる上司のせいに他ならなかった。

I　変人上司

「三神先生、いるんでしょう！　居留守使っても無駄ですからね！」

借金の取り立てかと言わんばかりの勢いで、僕は眼前の部屋のドアを何度も何度もノックし続ける。

総合内科部長室。

平社員どころかたかが研修医に毛が生えた程度に過ぎない僕が、上司に対し取るべき行動ではないと、そう眉をひそめる人もいることだろう。

しかし実際のところ、僕の背後を通り過ぎていく同僚諸氏のことごとくは、またいつものやつかとばかりに誰しもが苦笑を浮かべる。この事実一つをとっても、これが正当性を持ったやむを得ないノックだとわかること請け合いだ。

もちろん僕にだって、本当ならもっとスマートにノックし、常識人であることを示したいという思いはある。

だがこれまで怒りに任せてドアを蹴飛ばしたのは一度か二度だけだという事実、いやそれどころか、整形外科あたりからノミとハンマーを借りてきてドアを破ったことがないという事実だけでも、深く感謝してほしいというのが正直なところだ。

うん、やはり冷静に考えて、僕は僕なりに上司に対し最低限の節度を保っているといえるだろう。

そう、たとえ無駄だとわかっていても、人間にはやらなければならないことがあるのだから。

「なんだい、騒々しいなぁ。ドアは楽器じゃないんだから、いくら叩いても良い音なんて……って、なんだ柊くんじゃないか」

二桁を優に超えるノックの末、ようやく開かれた眼前のドア。

そこからニョキリと顔を覗かせたのは、ボサボサの髪に無精ひげを蓄えた我が敬愛するにあたわざる上司、三神宗一郎であった。

「三神先生、また院内PHSの電源を切っているでしょう。それで部長室に鍵までかけられたら連絡の取りようがないんですよ。ほんといい加減にしてください」

「ん？　あれ、電源切ってたっけ？　……あ、違う違う。バッテリーが切れて電源が落ちてただけみたいだ」

「落ちてただけみたいって、つながらなかったら一緒じゃないですか！」

「いや、別に自分の意志で切ったわけじゃないからさ、言うなれば不可抗力だと思わない？というわけで、また充電が終わった頃に電話くれたら良いからさ、じゃあね」

言葉と同時に、すぐさま開いたはずのドアを閉じようとする我が上司どの。

だがこの男の行動を読み切っていた僕は間髪を容れず、左足をドアの隙間に差し込んだ。

「まだ話は終わっていないですよ。とにかく失礼しますね」

「おいおい、柊くん。どこぞの新聞拡張員じゃないんだからさ、人の部屋に同意なく勝手に入るのは不法侵入だよ」

強引に部屋の中へその身を移そうとする僕に対し、三神先生は不満げな口調でそんなくだらない抗議をしてくる。

「ああ言えばこう言うんですから。じゃあ、念のために断りを入れておけば良いんですね。

今から入りますので失礼致します……って、これ何をやっているんですか！」

いつもながらの上司の言動にあきれつつも、その視線を部屋の中へと移した僕は、戸惑いとともに思わず目を見開く。

目に映ったもの。

それはパジャマ代わりの手術着に身を包んだだらしない中年男、足の踏み場もないほど床に転がされた缶ビールの海、そして何よりその男の側になぜか設置されたキャンプ用のテントだった。

「いやほら、まあ一つの生活の知恵というか……このご時世だから外出もできないでしょ。でもたまにはアウトドア気分を楽しみたいものじゃない」

「だからって部長室の中で勝手にキャンプをやらないでください！　ああもう、飲みさしのものまで交じっているし」

踏み出す足場を見つけられなかった僕は、溜め息とともに床に転がる空き缶を集め始める。

つい先日、いつまで経っても掃除をしないから、代わりにこの部屋を片付けたばかりだというのに、なぜこんなに早くここまで散らかせるのだ、この人は。

「あのさぁ、いつも言っているけど、わざわざ掃除なんてしなくて良いよ。君の給料は掃除のために払われているわけじゃないし、その分を診療に充てた方が有意義でしょ」

「じゃあ誰がここを掃除するんですか？」

「いや、別に掃除しなくてもそれなりに生活できてるし」

軽く両手を左右に広げながら、目の前の男はそんなことを真顔で言ってのける。

それに対し、僕は空き缶を片手にすぐさま反論してみせた。

「できていないんですよ。だからいつも部屋が使えなくなる直前に、僕が掃除してるんじゃないですか！」

生活力皆無にもかかわらず、突発的に部長室の写真用暗室化を始めたり、なぜか巨大ガレージキットを組み立て始めてジオラマを作ろうとしたり。

結果として、中途半端に放り出され腐海(ふかい)化したこの部屋を掃除しているのは、部下であるこの僕である。

にもかかわらず、本人の自覚の欠乏は本当に甚だしいことこの上なかった。

「ああ、いや、まあ見方によってはそうかもしれないけど、今日はもういいからさ。うん、私が掃除をやるから、ひとまず出て行ってくれないかな」

少しずつ上司どのの近くの空き缶を集め始めたところで、なぜか突然吐き出された言葉。

その内容に胡散臭(うさんくさ)さを感じた僕は、眉間(みけん)にしわが寄るのを感じつつ、彼の方へと視線を向ける。

「はぁ、先生が自分で掃除をするわけが……って、何を隠してるんですか？　それになんか匂いますよね」

僕の視線から背で何かを隠すように、自らの体をそっと動かす我が上司どの。まさにその方向から、なぜか香ばしい食欲を誘うような匂いが漂ってくる。

「いや、何も隠してないし、匂いもしないんじゃないかな。少なくとも私は気にならないけど」

「……ちょっとそこをどいてもらえませんか？」

露骨に怪しい言いわけを紡ぎ出す上司に対し、僕は端的にそう告げる。

だが上司どのは、わずかに視線をそらしつつ首を左右に振った。

「いや、何でもないよ。うん、大丈夫だから」

「大丈夫って言われても、先生の大丈夫はまったく信用が……って、なんですかこれは！」

三神先生の脇から背後を見た瞬間、そこには七輪が……そしてその上で焼き上げられようとするタケノコが存在した。

「なんですかって言われてもタケノコだけど？」

「どうして疑問形なんですか。というかタケノコはともかく、いやタケノコもですけど、病院内に七輪を持ち込んで使うってどういうつもりですか」

「どういうつもりかと言われても、新鮮なタケノコをもらっちゃったから、ちょうど良いと思ってさ。いや、心配しなくても大丈夫だよ。こんなサイズの七輪でも、十分以上に美味しく調理できるものだからね」

部屋中に匂いをまき散らす元凶を守るかのように、我が上司どのは軽く両腕を広げつつ、いつものごとく言いわけを口にする。

それに対し、僕は中学生でもわかるような説教を上司どのへと向けた。

「そういう事を言っているんじゃありません！　病院内は火気厳禁です。間違っても室内で煙が出るような調理はやめてください」

「いや、なるほどね。はは、しかし柊くんは心配性だ。大丈夫だよ、ちゃんと煙が逃げるよう窓は開けているし、火災報知機もあらかじめ電源は切っておいたからさ」

わずかに苦笑を浮かべながら、三神先生は軽い口調でそんなことを言ってのける。

途端、僕はとても言い得ぬほどの強い頭痛に襲われた。

「……電源を切っておいたって、それじゃあ火災報知機の意味がないじゃないですか」

「大丈夫、安心してくれて良いよ。食事が終わったら、またちゃんと電源は入れておくから。それよりさ、せっかくだし君も一杯やっていくかい？」

僕を懐柔(かいじゅう)する方針へと転換したのか、まったく反省の見られない我が上司はにこやかな笑みを浮かべつつ、共犯を増やさんとばかりに手にしていた黒糖焼酎を差し出してくる。

「結構です」

「えぇ、ほんとに？　もらい物だけど、この焼酎結構イケるよ？」

「イケるイケないの問題じゃないんです」

「じゃあ、何が問題なわけ。あ、そうか、なるほど。もしかしてタケノコと黒糖の食い合わせの事を心配しているわけだ。はは、だとしたら些(いささ)か不勉強だよ、柊くん。この組み合わせで医学的に問題があるってのはただの迷信だからさ」

部長は何故か小馬鹿にした表情で、僕に向かってそんなことを言ってのける。

それに対し議論の無駄を悟ると、僕は軽く首を振りながら溜め息交じりに言葉を紡ぎ出した。

「食い合わせの良い悪いで断っているわけではありません。まだ昼間で仕事があるから断っているんです。とにかく、また先生のよくわからないブームが来たことは理解しましたよ」

あきれ混じりにそう口にすると、自然と深い溜め息が漏(も)れ、思わずこの部屋から立ち去りたくなる。

だが僕は、肝心の用件をまだ伝えていないことに気づき、目の前の許しがたい光景を無視して上司どのへと問いかけた。

「で、先日の症例報告の添削(てんさく)はどうなりましたか?」

「……添削?」

僕の発言に対し、本当に初耳のような表情で三神先生は聞き返してくる。

しかしそんな反応は、これまでの付き合いから予想済みである。それ故、僕は淡々と先日依頼した際の事実だけを彼へと告げた。

「学会に出す症例報告の添削ですよ。先週の金曜日にお願いしましたよね」

「ああ、そういえばあったね。さて、どこにやったかなぁ。えっと、これは面倒だから柊くんにやってもらう調査書類で、これも手間がかかるから柊くんに投げるつもりの大学との共同研究の依頼で、こっちは部長会議提出用に柊くんに整えてもらう書類だから……」

限りなく不穏極まりないことを口走り続ける我が上司どの。

そんな彼は、収まりの悪い髪を軽くなでつけながら、机の上に積み上がった無数の空き缶を雑にどけると、その下に埋もれていた書類の束を漁り始める。

だがそれもわずかばかりのことで、子供のおもちゃ部屋のごとき荒れきった空間から、三神先生は目的とする論文をその手に取った。

「はは、大丈夫大丈夫。ここにほら、ちゃんとあるよ」

「……あるのは当然です。先日この部屋でお渡ししたんですから。そうではなくて、添削は終わりましたかと聞いているんです」

ごまかすような笑みを浮かべる上司に向かい、僕はその正面に立ちはだかるような形で、繰り返しそう告げる。

だが眼前の男は、まったく悪びれない口調でごまかすように笑い出した。

「いや、はは、当然まだだよ。週末はさ、このインドアキャンプ場の開設準備で忙しかったからね」

「先生！」

「ああ、わかった、わかったから。ちょっと待ってね」

そう口にするとともに、三神先生は手近にあったアウトドア用の折りたたみ椅子を広げそこへと腰掛ける。

そして手にした論文に目を通し始めると、いつものごとくあり得ない速度で次々と紙をめくっていった。

「ううん、そうだね……三十点かな。悪いけど書き直した方が良いと思うよ」

「え……」

「いや、だから書き直してって言っているんだけど、何かわかりにくかったかい？」

眉間にしわを寄せながら、軽く首を傾げて見せる我が上司どの。

そんな彼を前にして、僕はたじろぎながらも慌(あわ)てて声をあげた。

「待ってください。なんでそんな点数をつけられたかもわからないのに、急に書き直せって言われても困ります。本当なら明日にでも投稿するつもりだったんですよ」

「え、本気なの？　いや、だとしたら柊くん良かったね。こんな恥ずかしい症例報告を出さずにすんで」

「……どういうことですか？」

恥ずかしいという言葉に苛立ちを感じながらも、僕は要点だけを求めそう問いかける。

すると、三神先生は軽く論文の束を右手の甲で叩き、溜め息交じりにいつもの容赦ない感想を口にした。

「君の患者への感情が診断、治療、考察の全ての面で見え隠れしている。いや、別に診療において無感情での治療を行うことが正しいとは思わない。でも残念ながら、論文においては不要だね」

三神先生による当を得た指摘。

それがなされた瞬間、僕の脳裏を後悔とともに一人の患者の姿が横切った。

そう、それはあらゆる手を尽くしても救命することが出来なかった、最初のコロナ肺炎患者に他ならない。

だが僕がわずかな感傷にとらわれた瞬間、それを察してか眼前の上司はさらに言葉を続けた。

「この症例報告を読む人たちはさ、この患者の転帰、そしてその最中に君がどうアプローチしたかに対しては興味があると思うよ。でも残念ながら、その過程で君の感情がどう動いたかに関しては欠片ほども興味はないだろうね」

「それは……」

「人柄が良く、君にとって大事な患者だから救いたかった？　だとしたら、それは医師として傲慢な態度だね。たとえイタリアのように危機的状況であろうとも、命の選別は個人的な好悪ではなく、普遍的基準を用いて行うべきだ。だって私たちは神様じゃないんだからね……って、しまった！」

　三神先生は突然表情を一変させると、手にしていた論文を机の上に放り出し、そのまま慌ててテントの前の七輪へと駆け寄る。そして網の上のタケノコを裏返すと、頬を引きつらせながら彼は頭を抱えた。

「どうでもいい話をしていたら、タケノコが焦げちゃったじゃないか。まったく何てことだ。柊くん、ほんと勘弁してくれないかな」

　僕へと向けられた逆ギレ同然の苦言。

　それに対し、勘弁してほしいのはこちらだと言い返したかった。

　だがあまりに重くなった僕の唇は、そんな言葉を紡ぐために動きはしない。

　悲惨なタケノコを前に頭を抱える上司と、否定された論文を前にうなだれる僕。

　そんな異様なコントラストが破られたのは、僕の胸ポケットのＰＨＳが振動したタイミングだった。

「……はい、柊ですが」

「宗方です！　もう先生、時間ですよ。早く裏手口に来てください」

耳が痛くなるほどに鼓膜を強く震わせる活発な女性の声。

それはいまやすっかり馴染みとなった、研修医の宗方綾の声だった。

「時間？　なんのかな」

「老人ホームへの訪問診療です。総合内科が担当することになって、先生が対応する予定だったと思いますけど」

彼女のその言葉に、僕は慌ててＰＨＳの時計表示を見る。

午後三時。

しまった……いつもの調子で掃除なんかをしていたから、もうこんな時間になってしまっていた。

下手を打ったことを理解し、思わず僕は溜め息を吐き出す。

すると、宗方の声の大きさ故か、話を勝手に立ち聞きしていた男が、突然偉そうに僕へと語り始めた。

「いやぁ、綾ちゃんは相変わらず元気だね。しかし柊くん、約束をすっぽかすのは良くないと思うよ。というかさ、君も給料もらっているんだから、もう少し社会人としての自覚ってものを——」

貴方にだけは言われたくないという感情。

それを全身から湧き上がらせつつも、野次馬のごとき我が上司の相手をする暇はないとばかりに、僕は慌てて部屋から出ていこうとする。

するとそんな僕の背に、上司どのの声が改めて向けられた。

「論文は一応もう一度だけ見てあげるから、書き直したら部長室のポストに入れといて。感情や思い込みにとらわれず、ただ事実だけを書いてくれたらそれでいいからさ」

Ⅱ 老人ホーム

「ＰＣＲの精度がよくないっていう言いわけもどうかと思いますよね。七割くらいとか言われていますけど、普通に考えて、本当に検体の中にウイルスがいたら１００％近く感度があるはずですよ」

「つまり感度が七割に落ちてるというのは、取った場所にウイルスがいないとか、取り方が今一つであることが理由なわけですね」

車のナビでは中年の男性コメンテーターと、最近テレビで引っ張りだことなっているらしい研究者が、医学的見地からかけ離れた新説をなぜか誇(ほこ)らしげに語る。

一方、僕が走らせている車の窓には、まるでゴーストタウンのように人の姿が消え去った街並みが流れ続けていた。

ああ、これは内も外も憂鬱極まりないというべきだろうか。

「なんていうか、柊先生いい加減番組変えません？　なんか適当なことばっかり言ってて頭痛がしてきたんですけど」

　助手席に座って、不機嫌そうな表情を浮かべる研修医の宗方は、先ほどから二度目となる提案を僕へと向けてくる。

「言いたいことはわかるけどさ、救急や外来で彼らの発言が本当かってよく聞かれるだろ。ろくに調べもせず話していることはわかっているけど、自衛のためにも多少見ておいた方が良いと思うよ。未だにテレビの影響って馬鹿にならないからさ」

「そうでしょうけど、この人たちっていっつも検査をするよう煽ってばかりだし、研究者さんはまだろくにデータも出ていないアビガンを、医療者にばら撒けなんて言ってた人ですよね」

「ばら撒けとまでは言ってなかったけど、まあ似たようなものか。ただまあ専門医でもない彼らが、コロナウイルスに関する世論を形成している。それはやっぱり認識しておくべきだと思うよ。どうせ午後のこんな時間に、普段はテレビなんて見れないんだし」

　テレビに出ているような暇な自称専門家や我が上司どのならばともかく、本当の専門医や臨床家ならば、この時間は病院内を駆けずり回っているのが普通だ。

　つまりこの時間にテレビを見ることなんて普段ならあり得ないし、だからこそこの機会に、どういう情報に患者さんたちが晒されているのかについては学んでおくべきだと思われた。

もっとも噂でひどいと聞いてはいたけど、１００％の感度などと言い出す時点で事前に勉強していないことは明らかであり、まさかこれほど斜め上の内容が堂々とテレビで語られているとは思いもしなかったが。

「むぅ、でもせっかくこんな天気が良い日にお出かけなんですから、もっと雰囲気ある音楽とか掛けましょうよ。ねぇ、藤間師長さんもこの生真面目人間になんか言ってやってください」

僕の反応が不満だったのか、宗方は同志を求めて、同行していた内科外来の看護師長を務める藤間さんへと話を向ける。

だが当の藤間さんは、そんな彼女の言葉に気づかず、窓の外を眺めながら困った表情を浮かべていた。

「ああ……あの店も閉まっちゃってるし、今日のお夕飯どうしようかな」

まだお子さんが小さく、夕飯の献立で頭がいっぱいだからか、それとも元来ののんびりとした気質からか、僕らの会話に気づくことなく彼女は悲しげにそんな言葉を漏らす。

すると、宗方は仲間を失ったかのように悲しい表情を浮かべ、ダッシュボードに突っ伏すような形で愚痴をこぼし始めた。

「はぁ、せっかく明るい時間にドライブだって言うから楽しみにしていたのに」
「いや、ドライブじゃなくて普通に仕事だと思うけど」
「もちろんそうですけど、そうじゃないんです。というか、こんな状況で普段はろくに出歩けないんですし、気分転換したいって思うくらい良いじゃないですか！」

軽く頬を膨(ふく)らませながら、宗方はそんな埒(らち)もない抗議を僕へと向けてくる。

ふむ、なるほど。宗方もよほど参っているのだろう。

普段ならば売って歩けるほどに元気が有り余り、ウザいと思えるほどに僕へと絡んでくる彼女でさえ、こうして陰鬱な表情を浮かべているのだから。

「残念ながら気分転換というほど、目的の老人ホームは遠くないよ。もうすぐそこだから諦(あきら)めてくれないかな」

彼女の期待に応えられず申しわけなさを覚えるも、向かうべき場所はもう目と鼻の先。僕は彼女の抗議の視線に耐えながら、どうにか目的とする施設の駐車場へたどり着いた。

「あら、キレイな水仙(すいせん)。まだこの時期に花を残しているんですね」

医療器具を入れた大きなバッグを片手に、車内から地面へ降り立った藤間さんは、老人ホームの花壇(かだん)に目を留めてのんびりした口調でそうつぶやく。

「ほんとですね。しかし街からは少し距離があって緑も多いですし、水仙の花が映えますよね」

「先生、花より団子って言葉を知りませんか。緑が多いのはいいですけど、周りに店もなかったですし、これじゃあ帰りにどこも寄れないじゃないですか」

花に対しまったく興味がないためか、あからさまにがっかりした表情を浮かべる宗方は、改めて不満そうな言葉をこぼす。

はぁ、仕方ないか。

「宗方先生、まだこの時間は勤務中だよ。どこかの部長室に引きこもっているおじさんじゃないんだから、いいかげん諦めなよ。病院近くのお店でよければ、軽い食事くらいには寄ってあげるからさ」

「はぁい、わかりました。でも、絶対先生のおごりですからね」

「え、僕の？」

「当然です。先月も時給が病院の向かいにあるコンビニのバイトにまったく届かなかったんですよ。なのにクリーニング代はかかるし、購読してる医学誌は値上げしてくるし……正直ギリギリなんです」

腰に手を当てながら頬を膨らませつつ、彼女は当然の権利だとばかりに悲しい事実を告げてくる。

いや、一昔前のただ働き同然だった頃ほどではないにしろ、うちの病院の研修医の給料は芳(かんば)しくはない。

もちろんここのところ全国的に研修指導病院には労基署が入ってきているので、多少は改善されつつもある。しかし時間外に呼び出されようと、一定の残業時間を超えればそれ以上は全て自学自習のための行為として扱われる上、残業を減らすように病院長と事務長から呼び出しを受ける羽目となるのだ。その一方で、たとえ勤務超過を言いわけにしようと、患者さんの急変に対応しないわけには行かないのもまた現実だった。

それ故に、結局のところ残業時間を申告せずに勤務することが常態化し、実質的な時給は最低賃金にとても届かぬことが普通となっていた。

まあそれはこの病院だけの問題とは言えず、外病院で初期研修をした僕も、かつては時給二百円程度で働かされたものだったが。

「仕方ないな。わかったよ、じゃあ何が食べたいか考えておいてね」

彼女と同じ病院で働いている僕も、当然ながら残業代が全て請求できるわけではない。大学病院の無給医の連中ほどではないにしろ、公務員医師である僕の懐事情は芳しいものではなかったが、それでもさすがに彼女よりは多少マシではある。

その事実を踏まえて僕が渋々頷くと、宗方の整った顔の眉間からあっさりと険しいしわが消えてなくなった。

そんな現金な彼女の変化に対する戸惑いとあきれ。それらを僕が噛みしめていると、老人ホームの建物から、マスク姿の初老の男性が小走りで駆け寄ってくる。

「すいません、港市立医療センターの先生方でしょうか？」

五十代半ばの少し恰幅の良い男性。

そんな彼はやや恐縮気味にそんなことを尋ねてくる。

「はい、そうですが」

「ああ、よかった。お待ちしておりました。このたびは急に往診をお願いする形となり、本当に申しわけありません。私はここの所長をしております三浦と申します」

三浦と名乗るふくよかな初老の男性は、ペコペコと頭を下げてくる。

それに対し、僕は慌てて頭を下げ返した。

「どうもよろしくお願い致します。港市立医療センターの柊です。こちらは研修医の宗方先生と看護師長の藤間さんです」

僕の紹介を受けて、二人は軽く頭を下げる。

それを受けて三浦さんは改めて頭を下げ返すと、ほんのわずかに表情を緩めてくれた。

「それではホームを案内致します。どうぞこちらへ」

そう告げると、三浦さんは僕たちを促すかのように、施設へ先導する形で前を歩き始めた。

僕たちは互いの顔を見合わせるとともに、三浦さんのあとに続きホームの中へと足を踏み入れる。

「ん、所長。そちらの人たちは？」

老人ホームのロビーに一人ぽつんと佇んでいた老人。

彼は僕たちの姿を認めると、眉間にしわを寄せながらそう問いかけてくる。

「ああ、梅さん。いや、こちらは港市立医療センターの先生方です」

「医療センター？　ああ、あのババアのために来たんか」

明らかに不機嫌そうな口調で、老人は吐き捨てるようにそう告げる。

「ババアって言わないでくださいよ、梅さん。相沢さんとはもうここでも長い仲じゃないですか」

「コロナをここに持ち込ませておいて、医者まで呼びつける身分の奴との間に、仲なんてあるか！　ウイルスと一緒にさっさとくたばっちまったらいいんだ」

「梅さん……」

所長である三浦さんはやや困惑気味な表情を浮かべながら、なだめるように老人の名前を口にする。

「ふん、まあいいだろう。あんたらも変な病気を持ってきてるかもしれんから、用が済んだらさっさと帰ってくれ。テレビなんかを見てると、ウイルスってのは病院の連中がまき散らしてるみたいだからな」

流石に言い過ぎたと思ったのか、老人はややバツの悪い表情を浮かべながら、右足を引きずりつつロビーから立ち去っていく。

その背を見送った三浦さんは、慌てて僕たちの方を向き直ると、すぐさま頭を下げてきた。

「うちの入所者が本当に申しわけありません」

「いえ、この状況でなかなか外にも出られないとなれば、どうしてもストレスがたまるものですし」

変人の極みとも呼べる我が部長氏クラスはさておき、あれだけ神経が図太いと思われる宗方でさえ、不機嫌さを隠せずにいるご時世なのだ。

施設の中で日々を過ごす入所者にとっては、本当に息の詰まる状況であることは容易に想像がついた。

一方、先ほど機嫌を直したばかりの神経の図太い我らが研修医氏は、僕たちのそんなやり取りを気にする風もなく、老人が立ち去ったあとのロビーを興味深そうにぐるりと見回し、おもむろにその口を開く。

「しかしなんていうか、凄く静かですね」

「いや、普段はこのあたりも、入所者さんたちが一緒に過ごしておられてにぎやかなんです。聞いてくださらない方もいらっしゃいましたが、基本的には今回の往診をお願いしている方の件で、できる限り歩き回らないようにして頂いてまして」

苦い表情を浮かべながら、三浦さんは宗方に向かいそんな説明を行ってくれる。

それを受けて、改めて今回の訪問診療の件に関し、僕は確認の問いを向けた。

「確か昨日、ＰＣＲ検査を行われたのですよね」

「ええ、そのとおりです。今回見て頂く相沢さんは、ここのところ微熱が続いていらっしゃった上に、昨日から食事の味がわからないと言い出されたもので……さらにタイミングの悪いことに、つい先日ご友人さんがここにいらっしゃったところでして」

「……ご友人ですか。いつ頃のことです？」

「二週間ほど前のことです。そして不運なことに、ご友人さんのお孫さんがＰＣＲ陽性だったと連絡がありました」

まるで消え入るかのような声色での所長氏の説明。

それは訪問診療を前にして、聞かされていた内容よりもやっかいなものだった。

もともと今回の訪問診療は、うちを含めた近隣の総合病院の感染病床が満床であったため、止むなく取られた措置ではある。

と言うのも、施設内におけるクラスター発生の懸念と、高齢者の感染疑い例に対し地元医師会からの強い要請……いわゆる政治的な根回しの結果、いつものごとくゴミはゴミ箱にとばかりにうちの科にお鉢が回ってきた案件ではあった。

だがそこで事前にもらっていた連絡は、八十歳の女性の入所者がＰＣＲ検査を行いコロナ感染の可能性があるという実に簡素なもの。こうして足を運んでみると、やはりうちに回ってくるだけあって、思った以上にやっかいな案件だと頭を抱えたくなってくる。

「柊先生、やっぱり感染が疑わしいと思いますか？」

「どうだろうか。確かに症状はいわゆるコロナウイルスの特徴が表れてはいるから、ひとまず否定は出来なそうだけど」

宗方の問いかけに対し、僕はそこまで述べたところで思わず口ごもる。

正直言って、コロナウイルスに関する理学所見はまだ確立しているとはとても言いがたい。

発熱、味覚障害、嗅覚障害、呼吸器症状、そしてしもやけ様の皮膚症状など幾つかの特徴はわかってきているが、それらの個々の有無だけで感染を断言できるレベルではないのが現実だった。

「……確かにそうですね。それで所長さん、その患者さんはどちらにおられるんですか？」

「この廊下から続いた二つ向こうの建物で休んで頂いています。その……他の入所者の方とは距離を取ってもらわなければならないと思い、検査直後から移って頂いておりまして」

宗方に対し離れの方向を腕で指し示すと、所長さんは再び僕らを促すように先導してくれる。

そうして足を踏み入れたのは少しばかり古びた木造の廊下。

そこは無数の水槽が壁面を所狭しと埋め尽くしていた。

「なんというか、凄いですね」

熱帯魚や鯉やフグ、それに貝類に加えタコまでもが、無数にある水槽の中に見て取れる。

まるで水族館の一部であるかのごときその渡り廊下の光景に、僕は思わず足を止めてしまった。

「ああ……いや、実は相沢さんに使用頂いている離れで飼っていたものなんです。流石に私物の大量の水槽に囲まれた状態で、待機頂くのはまずいかと思いまして。ともかく、この先になります」

三浦さんは僕らにそう告げると、再び先導する形で前を歩き出す。

そしてやや大きな渡り廊下の先には、昭和の香りを感じる民家の玄関口が存在した。

「ここですか？」

やや生活感を感じるその空間。

それを前にして、僕は三浦さんへとそう問いかける。

しかし三浦さんは苦笑を浮かべながら、すぐに首を左右に振った。

「いえ、ここは私の自宅になります。実はあの老人ホーム自体、私の自宅のそばにあとから建設したものでして、利便性を考えてこうして廊下でつないでいるのです」

「でもこの作りですと、入所者さんが間違ってここに入ってきちゃったりしませんか？」

三浦さんの説明に興味を抱いたのか、宗方が顎に手を当てながらそんなことを質問する。

すると、所長さんはすぐに首を縦に振って見せた。

「おっしゃるとおりです。何しろ認知症の方もいらっしゃいますので……ただ玄関口から先には鍵を掛けるようにしていますし、今回は万が一にも接触があってはいけないので、防犯用のビデオカメラで離れの出入り口と部屋の中は常時確認できるようにしています」

「ビデオカメラですか……」

「ええ、もちろん一日中職員が張り付いて映像を確認できるわけではないのですが、いまから急に扉を作ってもらうわけにもいきませんでしたので……とにかくこちらになります」

僕の言葉に苦笑を浮かべつつも、三浦さんはさらに奥に見える次の渡り廊下へと僕たちを案内する。

そこにも先ほどと同じように無数の水槽が存在し、聞かされていたビデオカメラが離れの家に向けて設置されていた。

「この先に今回診察をお願いした相沢さんがいらっしゃいます。ですので、診察用の装備などを着用されるのでしたら、ここでお願いできましたら」

「ああ、そうですね。藤間さん、ＰＰＥを一式出して頂けますか。早速診察させて頂きましょう」

Ⅲ　最初で最後の診察

「相沢さんですね？　初めまして、港市立医療センターの柊です」

薄暗い部屋に足を踏み入れた僕は、マスク越しでわずかにくぐもった声を向ける。

そこは本当に何もない空間だった。

ベッドとカーテン、そして室内の状態をチェックする目的で設置されたビデオカメラ。もともと水槽などだけで埋め尽くされていたはずの離れの中は、たったそれだけが設置され、いうなれば生活感らしきものがかけらも存在しない。

そんな空間における一時的な居住者は、ゆっくりとやせ細った上半身をベッドから起こすと、不安げな視線を僕へと向けた。

「柊先生ですか。あの……やっぱり私は陽性だったのでしょうか？」

恐る恐るといった不安そうな相沢さんの声。

Personal protective equipment……つまりＰＰＥなどとも省略されるガウンにゴーグルなどの個人用防護具に身を包んだ僕たち一行を前に、おそらく驚いてしまったのだろう。

そんな彼女の動揺に気づいた僕は、慌てて首を左右に振る。

「あ、いや、そういうわけではないです。まだ結果は出ていないのですが、今日はその後の経過を見させてもらおうと思い、診察に来させて頂きました」

「そうなんですよ、相沢さん。何かあったらいけないので、医療センターの先生にこうして訪問診療に来て頂いたんです」

僕の言葉に続ける形で、自前の防護具に身を包んだ所長の三浦さんもそう言い添えてくれる。

すると、不安がわずかばかり落ち着いたのか、相沢さんは息を吐き出すと突然その頬に涙を走らせた。

「そうなのですか……本当に、本当にありがとうございます。その、私のせいでわざわざこんなところまで来て頂いて」

「気にしないでください。病気を治療することが私たちの仕事ですから。ですので、まず幾つかおたずねさせて頂いてもよろしいでしょうか？」

「は、はい、もちろんです」

僕のお願いに対し、相沢さんは二度首を縦に動かす。

それを見て取った僕は、すぐさま確認の問いかけを口にした。

「事前に幾つかお話は聞かせて頂いているのですが、ここのところ微熱が続き、昨日から食事の味がわかりにくくなったということに間違いはないですか？」

「はい。先週ぐらいから熱っぽいなとは思っていたんです。その頃からトイレも近くなって、汗もよく掻くようになってました。ご飯はそうですね、昨日からあまり美味しく感じないんです。今日もお昼に所長がお魚の煮物を持ってきてくださいましたが、まったく味がわからなくて……」

「なるほど、それ以外に何か変わったことはありませんか？」

「いえ、特には……」

僕の問いかけに対し、相沢さんは必死に考えるそぶりを見せるも、本当に思い当たることがなかったのかそう答える。

「わかりました。あと何かアレルギーがあったり、治療しているご病気があったり、昔した大きな病気などはありませんか？」

「アレルギーを言われたことはないです。病気といっても痛風くらいで、大きな病気となると十年前に人工関節の手術を受けたことでしょうか。それ以外はこれまでそれほど病気をしたことはないですし、昨年の終わりに港循環器病院さんで心臓とかの検診を受けましたが、問題ないと言われました」

ふむ、少なくとも現段階では、コロナ感染があっても軽症例で間違いなさそうではある。ただ念のために、聴診や幾つかの検査だけは怠らぬべきだろう。

「では、すいません。胸の音を聞かせて頂きたいので、服を上にずらして頂けますか」

僕のお願いに対し、藤間さんが手伝う形で相沢さんは聴診の準備をしてくれる。

そして彼女へと聴診器をあてると、僕は思わず安堵の溜め息を漏らした。

「呼吸音は正常ですね。いや、ＣＴ検査をしたわけではないので確実とは言えませんが、少なくともコロナによる肺炎を積極的に疑うことはなさそうです」

「もともと症状も呼吸器症状は出ていないという話でしたからね」

僕の聴診結果に対し、研修医の宗方は納得したように二度頷く。そしてそのまま彼女は、相沢さんの腕に血圧計を取り付けて計測を開始した。

「柊先生、血圧も問題なさそうです。となると、やはり明確なのは熱と味覚くらいですか」

血圧計を外しながら宗方は改めて要点をシンプルにまとめると、僕らの背後に控えていた三浦さんが、申しわけなさそうにその口を開いた。

「ええ、そうなんです。ただ熱自体は五日前から続いてらっしゃいますし、ご友人の件で保健所からちょうど確認の問い合わせが来ましたので」

「ああ、クラスターを追われている中で、相沢さんにたどりついたんでしょうね。いずれにせよ、全ては相沢さんのＰＣＲ検査結果次第だとは思いますが、一応念のために血液検査をしておきましょうか」

「え……血液検査ですか？」

僕の提案に戸惑いを見せたのは、患者である相沢さんではなく、所長の三浦さんだった。

その反応の意味がわからなかった僕は、思わず首をかしげてしまう。

「えっと、何か問題でも？」

「あ、いえ、血液検査ではコロナ感染はわからないと聞いていましたもので」

返された三浦さんの発言に、僕は彼の懸念を理解する。そして同時に、相沢さんにも検査の必要性を伝えるため、苦笑を浮かべながら説明を試みた。

「既に抗体検査のキットも出てきていますので、血液検査が無効なわけではないですよ。もっとも今回は、コロナ以外の病気の可能性も否定は出来ませんので、調べておいた方が良いかと思いまして」

「それでしたら是非お願いします」

その返答は相沢さんによるものであった。

僕は改めて一つ頷くと、検査器具一式を持参した藤間さんへと視線を向ける。

「では、準備してもらっても良いですか？」

「わかりました。では相沢さん、ごめんなさい、失礼しますね」

言葉とともに相沢さんの腕に採血用の駆血帯を巻き付けると、藤間さんは鮮やかな手並みで採血を開始する。

一方、わずかに手持ち無沙汰となったのか、宗方は僕の下へと歩み寄ると耳元でそっと正直な感想をつぶやいた。

「柊先生、もしＰＣＲ陽性だったとしても、相沢さんには待機以上の事は出来なそうですね」

「まあ軽症例に対し、闇雲にアビガンを投与するかと言われるとね。もっともまだ重症化する可能性はあるから油断は出来ないけど」

採血を受ける相沢さんの姿を眺めながら、僕は少しばかり肩の荷を下ろしつつそう答える。

そしてそのタイミングで、僕は一つだけ聞きそびれていた事があることに気づいた。

「そうそう、相沢さん。痛風はお薬を飲まれているんですか？」

「あ、はい。近くの開業医の先生に頂いています」

「それ以外に、たとえば健康食品とか、何か飲まれているものはありますか？」

「かかりつけの先生から頂いている痛風のお薬と、熱冷ましのアセトアミノフェンくらいだと思います。本当に、普段はあまり病院を受診したりされる方ではないので」

相沢さんが答えるより早く、三浦さんが隣から彼女の事を教えてくれる。

すると、採血を終えた相沢さんは大きく一つ頷き、ゆっくりとその口を開いた。

「ええ、所長さんのおっしゃるとおりです。それにたまに体調を崩しても、所長さんが風邪のお薬を用意してくださいますから。ちょうど今日も、漢方のお薬を分けて頂いたところでして」

「あ、いや、はは……」

相沢さんの発言に対し、三浦さんは思わず苦笑を浮かべてみせる。

だがそんな彼女の発言が気になった僕は、確認するように問いを口にした。

「それって市販薬ですか？」

「いえ、自分用に作った生薬なんです。実は元々、私は漢方系の認定薬剤師をやっていたことがありましたもので」

「え⁉　そうなんですか」

思いも掛けぬ告白に、僕はわずかに戸惑いを覚える。

すると、苦笑を浮かべたままの三浦さんはやや恥ずかしそうに大きく頷いた。

「はい。老人ホームの経営はもともと親の仕事なんです。それを引き継ぐ際に、薬剤師を辞めて自宅近くに老人ホームを移した形でして」

「確かに施設は全体的に新しかったですね」

三浦さんの発言を受け、僕はこの離れや彼の自宅に比べ、老人ホームの設備が比較的新しかった理由を理解する。

一方、三浦さんはわずかに苦い表情を浮かべつつ、続けるようにその口を開いた。

「ええ、結果としてかなりの借金を抱えることになってしまいましたが」

「しかし相沢さんの漢方を用意されたということは、今もその手のお仕事を？」

「あくまで昔取った杵柄みたいなものです。褒められたことではないですが、自分用のものを入所者さんに少しだけお分けしたりすることもありはします。ただまあ基本的には、それでなんとかするのではなく、病院へ受診してもらうようにしていますが」

勝手に診療行為を行っていないという事を伝えたかったためか、三浦さんはやや早口で補足を言葉にする。

「はぁ、なるほど。ちなみに今日はどんな漢方を？」

「麻黄附子細辛湯(まおうぶしさいしんとう)です。一部ではコロナに有効なのではないかとも伝え聞きましたので、多少なりとも役に立てばと」

麻黄附子細辛湯の名前を聞き、僕はなるほどとばかりに一つ頷く。

これは文字通り麻黄と附子末と細辛によって構成された薬であり、症例によっては風邪などに使われることもある漢方であった。

そんな僕が納得を覚える一方、あまり漢方に詳しくないのか、宗方は興味深そうな口調で尋ねてくる。

「あの柊先生……麻黄附子細辛湯ってコロナに本当に効くんですか？」

「まあ漢方の成分から考えるなら、中に入っている麻黄はよくインフルエンザなんかに使われるものだね。実際、コロナに関してまだ確立されたものではないけど、漢方としては補中益気湯(ほちゅうえっきとう)とか麻黄湯、麻黄附子細辛湯なんかが試されているらしいよ」

コロナに対して漢方の治験(ちけん)がどこまでされているかは、僕自身把握してはいない。ただ麻黄附子細辛湯という目の付け所は、三浦さんがまさに本職だったことを示すに十分だとも思われた。

　実際のところやや栄養不足にも見えるやせ型の相沢さんに対し、東洋医学的な適応を考えるとすれば、虚証(きょしょう)で寒証(かんしょう)……つまり高齢者や虚弱者で体力が低下した方に使うことがある薬を選択すべきである。その意味において、少なくとも通常の風邪の延長としてコロナを考えるなら、あながち間違っていないとも思われた。

「結局、手探りなのは西洋医学も東洋医学も同じというわけですね」

「そうだね。まあ漢方のことはともかく、今すぐ酸素投与や集中治療が必要ということもなさそうですし、ひとまずはＰＣＲ結果が出るまで、ここで待機頂く形で良さそうかな」

「そうですか！　いや先生、ありがとうございます」

　僕の発言に対し、最も喜びを見せたのは三浦さんだった。

だがもちろん、相沢さんも十分に喜んでくださったようで、僕たちに向かい何度も何度も頭を下げてくださる。

　特に何かをしたというわけでもないが故に、その反応に申しわけなさを覚えると、僕は相沢さんを安心させるよう改めて言葉を向けた。

「ひとまずはそこまで心配しなくて大丈夫ですよ。僕たちはこれで失礼致しますが、何かあればすぐにご連絡ください」

Ⅳ　追加診察

　そこで申しわけなさそうな表情を浮かべた三浦さんを前にして、僕は戸惑いながらも返事をする。

「え、あ、はい。なんでしょうか？」

　装備していたＰＰＥを外し、病院へ戻る準備を終えたタイミング。

「先生、ちょっとよろしいですか」

　すると、三浦さんは何か言いづらそうにそわそわした様子を見せながらも、意を決したように言葉を切り出した。

「実は相沢さんの件で、入所者さんたちが不安がっていまして。まだ陽性と確定したわけではないと言ってはいるのですが……もしご迷惑ではなければ、いやご迷惑だと承知の上で、他の入所者さんを診察して頂けませんでしょうか」

「えっと、診察ですか……」

　僕は困ったように藤間さんの方を見る。

　すると、藤間さんも弱ったような表情を浮かべながら、僕の耳元で小さくつぶやいた。

「断ってもらっても良いとは思います。ただ基本的には先生にお任せしますよ」

外来師長の職にある藤間さんにそう言われてしまうと、僕もすぐには返事が出来かね思わず考え込んでしまう。

だが隣に佇む若い女性……つまりやる気に満ち溢れた宗方の僕への視線は、明らかに一つの回答を期待していた。

その視線に根負けした僕は、三浦さんへと一つ確認を行う。

「ちなみになんですが、入所者さんの中に発熱などの感染を疑うような症状の方はいますか？」

「いえ、今のところは特にいらっしゃいません。実際のところ、入所されている方の数自体そこまで多くはないですから、それほどお時間を取らせることはないかと思うところでして」

コロナ感染を積極的に疑いうる方がいないという前提で、どちらかというと健診的な要素が含まれる診察であることが想定された。

だからこそ改めて僕は返事に迷ったが、この施設に足を踏み入れ最初に出会った老人の事が脳裏を横切った。

「……わかりました。ただし短時間にさせてもらえたらと思います。宗方先生も手伝ってくれるよね」

その僕の言葉に、隣に立つ若き女医は満面の笑みで大きく一つ頷いた。

＊＊＊

「ありがとうございます。そして申しわけありませんでした、先生」

その謝罪の言葉は、診察した老人の背後に立つ女性職員のものだった。

実際の診察対象である当人、九十を過ぎた彼女はもはや意味のある言葉を発することはない。

脳梗塞に認知症。

それらの結果として、おそらく現在の状況さえ何一つ理解出来ていないのは明らかだった。

だから聴診器を当てることを邪魔され、血圧を測ろうとすれば腕をつねられもする。

でもこんなことは日常茶飯事だ。別に老人ホームに限った話ではない。

病院で診察する時でさえ、老人相手に数人がかりの時も少なからず存在するものだし、それをまだまだ元気が良く長生きしそうだと冗談めかして言う家族も存在したりする。

まあそんな発言に対し、正直反応に困ったことも一度や二度ではないことは紛れもない事実だ。

ただ今回に関しては、ひとまずこの施設には相沢さんを除き、診察した範囲内で明らかな感染兆候を有する方はいなかった。間違いなくこれは、純粋に喜ぶべき事だと言えるだろう。

「先生、あと一人です。よろしくお願いします」

「そうですか、では中に入ってもらってください」

施設内の家族面談用の個室を簡易の診察室に見立て、宗方と手分けしながら診療を開始し半時間。

長時間ではないものの、予定外の診察であったこともあり、終わりが見えたことによる解放感は正直少なからず存在していた。

「ああ、あんたか……さっきはすまなかったな」

その声は最後の診察客のものだった。

そう、再び顔を合わせることとなった老人は、小さく頭を下げながら目の前の席に腰掛ける。

「先ほどロビーでお会いした……えっと」

「梅垣（うめがき）だ。よろしく頼む」

やや無愛想（ぶあいそう）な老人はそれだけを口にすると、そのまま急に上半身の服を脱ぎ始める。

早くしろと促すかのような行為に戸惑うも、僕は慌てて聴診器を胸へと押し当てると、すぐに独特の人工弁の音に気づいた。

「昔、心臓の手術をされたんですね」

「ああ、二十年前だ。そん時に仕事も辞めた」

「なるほど、だからワルファリンを飲まれているわけですか。ただ……」

所長さんにお願いしていた事前問診の紙。

それを確認するように視線を向けたところで、僕はわずかに困惑を覚える。

「なんだ、なんかあんのか」

「いえ、近くの整形外科の先生から、セレコキシブっていう痛み止めが最近出ていますよね」

「ああ、先月から右膝が痛くてな。で、それがどうした」

僕の確認に対し、梅垣氏は怪訝そうな表情を浮かべながらそう返してくる。

「いや、たまにワルファリンと相性が悪くなることがありまして……最近、内出血をしたり、歯磨きの際によく血が出たりとかしませんか？」

よくよく見ると、梅垣氏の胸には点状のごくわずかな出血斑のような所見が認められた。

だからこそ、僕は確認するようにそう問いかける。

なぜそんなことが気になったのか、それは薬物相互作用に思い至ったからだ。

彼が飲んでいるセレコキシブという痛み止めは、肝薬物代謝酵素CYP2C9への影響から、ワルファリンの効果を増強させることがあるといわれる。

もちろん世の中にはその逆で、一時的に効果を消失や無効、または減弱させる薬剤もあり、やはり薬というものは飲み合わせに注意が必要なものなのだ。

「今のところそんな事はねえが……敢えていうなら、ちょっと昼の豚肉の炒め物が胃に残って気持ち悪いくらいか」

「セレコキシブは痛み止めの中では胃に優しい方ですが、それでも副作用で胃が荒れる事があります。その際にワルファリンの効果が強くなっていれば、やっかいな事になりますから、かかりつけの先生に一度相談してもらった方が安心だと思いますよ」

「へぇ、そういうもんか。なるほど、あんた本当にちゃんとした医者だったんだな」

僕の言葉を聞いて、梅垣氏はしみじみとした口調でそんなことを口にする。

それに対し反応に困った僕は、当たり障りのない言葉を紡ぎ出した。

「いや、まあ人並みだとは思いますが……」

「別に馬鹿にしてるわけじゃねえ。むしろ感謝してんだ。こんな施設に来るやつだから、どんなやつかと思ってたところだったんでな。すまねえ、あんたらがこのコロナの騒ぎで苦労してるのは知ってる。悪かった」

そう口にしたところで、突然梅垣氏は僕に向かい頭を下げてくる。

想定外のそんな反応に、僕は戸惑いつつも慌てて首を左右に振った。

「頭を上げてください。別にたいしたことを言っているわけでもないですから」

「そうか……まあでもこの歳だが勉強になった。なるほど、確かに食い合わせとか、俺とあのババアの関係みたいに、薬にも相性ってもんがあるわな。実は整形の医者には人工弁の薬のことを言ってなかった。今度診察を受けた時に聞いてみる」

それだけを口にすると、梅垣氏は再び服を着る。そして僕へと視線を向け直すと、彼はおもむろにその口を開いた。

「なぁ、先生。俺のことはともかく、この老人ホームはどうなると思う？　あんたは潰れると思うか？」

「えっ、どういうことですか？」

思いも掛けぬ言葉を放つ老人に対し、僕は思わずまじまじと彼の顔を見つめる。

一方、そんなことを言い放った当人は、あきれたような表情で改めて口を開いた。

「おいおい、ちょっと考えりゃわかるだろ。この施設からコロナ陽性が出ればどうなるかくらいよ」

「それは……」

脳裏を横切るのは、来る途中に流していたワイドショーの一場面。

そこではコロナクラスターとなった施設のことを、後出しジャンケンのごとく散々批判的に語り尽くしていた。

「もしあの婆さんからコロナが出たら、誰がこんな老人ホームに家族を入れたいって思うよ？　ただでさえこの辺は人口が少なくなって、入所者も減ってきてるんだ。赤字続きのこんな施設、簡単に傾くもんだぜ」

「赤字……そうなんですか？」

「そうさ。診察してわかっただろうが、建物の大きさの割に入所者が少なかっただろ。立地が悪いんだよ、ここだと。まあ入っている俺が言うのもなんだがな」

やや自嘲気味に笑いながら、梅垣氏はそう言ってのける。そして戸惑った様子の僕に向かい、彼はさらに言葉を続けた。

「今の調子だとコロナが出れば、テレビで散々に言われちまうだろ。奴らは視聴率なんてもんのためなら、中に入っている入所者の事なんて気にはしないだろうからな。結局のところ、コロナさえ奴らの飯の種ってことだ」

「確かにおっしゃるとおりかもしれませんね」

「ああ。だがまあ奴らが自分の飯を稼ごうとすることには文句はない。どうせ俺たちの声は届かねえしな。だがそれでここが潰れたら、中に居る俺たちはどうすれば良い？」

その問いかけに対し、僕は何らの答えを持ってはいなかった。

だからこそ訪れるわずかばかりの沈黙。

そんな状況に終止符を打ったのは、溜め息交じりの梅垣氏の言葉だった。

「はぁ、すまねえな。愚痴でもこぼしていないとやってられねえんだ。でもな先生、俺はここ以外に行く場所がねぇ。外で野垂れ死にするくらいなら、コロナの結果が出る前にあのババアを殺してやりたいと思うのさ。少なくとも、刑務所なら三食飯も出してもらえるしな」

その梅垣さんの発言はあくまで冗談めかしたものではあった。

だがその言葉からどこか言い知れぬ寒気を、そしてわずかばかりの本気を感じずにはいられず、僕はどうしても笑い飛ばすことができなかった。

V　死因の行方

「はぁ、もう夕方ですよ。先生が気軽に診察受けちゃうから」

診察後にお茶でもどうかという所長の誘いを断り、病院の駐車場までようやく戻ってきたところで、宗方は安堵した表情を浮かべつつそんなことを口にする。

それに対し、車の鍵を掛けようとしていた僕は、心外だとばかりに抗議の声をあげた。

「いや、宗方先生だって、診察した方が良いって思っていたでしょ」

「まあそれは否定しませんけど、何か約束していたこと忘れてませんか？」

僕の非難の言葉に対し、なぜかうれしそうに笑う宗方は、忘れておいて欲しかったことをきっちり口に出してくる。

「いや、まあでもかなり時間が押したし、まだ仕事があるしさ……」

「駄目ですよ、柊先生。自分の負けはちゃんと認めないと」

「藤間さん……」

横から会話に交じってきた藤間さんに対し、僕は間髪を容れず抗議の声をあげた。

しかし藤間さんは苦笑を浮かべつつ話をそらしてくる。

「とにかく相沢さんのこの採血検体は、私が検査部に持って行っておきますね」

「……はい、お願いします」

もはや白旗だとばかりに、僕は藤間さんの提案を受け入れる。

そして彼女がそのまま病院の中へ姿を消すと、駐車場には僕と宗方の二人だけとなった。

「それで先生、この後はどうされるんですか？」

「まずは総合内科の担当患者さんの回診をしなければいけないかな。入院中の方の定期のお薬の指示もまだ出せていないし」

入院患者さんに必要な明日以降の薬や点滴の指示は、夕方にもかかわらずまだ出せていない。

この時間にそれらの手配が出来ていない以上、病棟の看護師さんから鬼のような催促の電話がそろそろ掛かってくる頃合いだった。

「おじさんが気を利かせて、代わりにやっていてくださってたら良いんですけどね」

「……してくれていると思うかい？」

「まさか？　もしそんなことがあるとしたら、たぶんもっと大変な用件を先生に押しつける前触れですよ」

クスクスと笑いながら、宗方はそんなひどい未来をあっさりと言ってのける。

それに対し僕は深い溜め息を吐き出し、なぜか背中に寒いものを感じ取った。

「なんというか、そんな目に遭うくらいなら自分でした方がましだよ。いや、本来の主治医はあの人のはずなんだけどさ」

そう、たった二人で切り盛りするゴミ箱内科こと我らが総合内科では、基本的に全ての患者に対して、治療責任者である主治医を部長が、その下で治療を行う担当医を僕が担う役割分担となっている。

にもかかわらず、肝心の主治医が責任を放棄し全てを僕に押し付け、さらにはこちらの手の空(あ)き具合を見定めながら、容赦なく治療以外の雑務も投げてくるのだ。となれば、僕でなくとも愚痴の一つや二つ言わずにはいられないものだろう。

「とりあえず、あの人が余計な仕事を振ってくる前に、出来る業務は終わらせてしまおう。というわけで宗方先生、手伝ってくれるよね」

「そうですね。なぜか急にナノエッレのパスタが食べたい気分になってきました。もしご褒美があるなら、カルテ整理から退院サマリーまで、いくらでもお手伝いできちゃう気がするなぁ」

病院近くのイタリア料理店でのディナーと引き換え、か。

なんというか約束を先に交わしてしまっている時点で負け戦だよなとは思う。

だが予定より訪問診療で時間を喰ってしまった以上、現状においては彼女の提案を受け入れるしか選択肢はなかった。

「なんというか、ある意味人の足下を見たカツアゲだよね。まあパスタくらいなら……ん?」

スラックスのポケットが震え、僕はスマホに知らない番号から着信が来ていることに気づく。

病院内の名簿がしばしば流出し、最近は税金対策を名乗るマンション購入の電話が頻繁に掛かってきている。

だからその手の業者かと思い、僕はやや無愛想に電話を取った。

「はい、柊ですが」

「先生、三浦です。病院の秘書の方から番号を伺いました。その……大変なんです。相沢さんが、相沢さんが急変しました!」

＊＊＊

「繰り返す形になりますが、この部屋の中に設置したカメラの録画映像を見る限り、やはり誰も中には入っていません。申しわけないのですが、変な噂が立つと困るので、勘弁して頂けませんか」

老人ホームの所長室。

相沢さんの死亡宣告の後に、彼女の最後の状況や症状を確認したいとお願いした結果、僕たちは録画されていた離れのビデオをこうして確認し続けていた。

「確かに誰も映っていませんね……」

僕たちに付き合わされ困った表情を浮かべる三浦さんに対し、余計なことを言い出した当人である宗方は、眉間にしわを寄せながら見たままの感想を口にする。

いや、実際のところ、僕も彼女とまったく同じ感想を抱いてはいる。

録画されていたビデオ記録の中に、相沢さん以外が登場するのは三回のみ。

一度目が正午ちょうどに昼食を運び入れた三浦さん。

次が四時前に診察に訪れた僕たち一行。

そして最後が五時頃に相沢さんの異変に気づき部屋へ飛び込んだ三浦さんを含む施設職

員さんたちだ。

「胸のあたりを押さえて苦しみ出したのが、僕たちがこの施設を出た直後みたいですね。そして三浦さんたちが離れに入った時には、もう相沢さんは身動きをしていない。この時点で既に亡くなっていると見るべきだろうね」

「そうですね。それは私も同感です」

映像を見直して僕なりにわかったことをまとめると、やっかいなことを言い出した当人である宗方は、あっさりと頷いて見せる。

それを前にして、三浦さんはわずかに安堵したのか、僕たちへと改めて口を開いた。

「それでその、ビデオを見てもらってわかるように、不審者も映っていませんし、コロナによるものではなさそうです。やはり胸を押さえて苦しまれていたことを考えると、心臓の病気が原因となりますよね？」

「少なくともコロナウイルスが無関係の可能性が高いとは、僕も思います」

後で起こるトラブルを警戒し、僕は救急外来で磨いてきたできる限り言質を取られない言い回しを行う。

もちろん僕たちが診察したあの状態から、ただのコロナウイルスの感染だけで、これほど急な経過をたどるとは考えづらいと思ってはいる。

正直言って、心臓などにおける突然の変化が原因と考えることが妥当だろう。

しかし同時に、宗方に焚きつけられたというだけでは説明できない違和感が、この僕の胸の内に生まれつつあった。

いや、もちろんこれが病院内の出来事であったならば、おそらく最初から素直に受け入れていたかもしれない。何しろ何らかの基礎疾患を有している高齢者においては、予期できない急変が時として起こりうることを、僕は知っているからだ。

だがあの人の……梅垣さんの冗談めかして口にした言葉が、なぜか妙に頭の中にこびりついていた。

「柊先生、ちょっと良いですか？」

そう口にすると、宗方は僕をやや強引に所長室の外へと連れ出す。

「えっと、何かな？」

「やっぱり私、変だと思うんです。だって去年、循環器病院で検診を受けて正常だったんですよね。それでこれほど急に異常が起こりますか。しかもこんな計ったようなタイミングで」

「いや、確かにそうなんだけど、高齢者ではあるしね。大動脈解離とか、急性心筋梗塞が原因の可能性がないとは言えないと思うよ」

自分の気持ちを抑える意味を込めて、救急で急変を前にした際に鑑別しておくべき心疾患を、幾つか例としてあげてみせる。

すると、宗方は納得したように一度頷く。しかし彼女はわずかに迷ったそぶりを見せた後、突然思いも掛けぬ事を口にした。

「確かに鑑別疾患としてはおっしゃるとおりだと思います。でもやっぱり、この施設にとって相沢さんの急変は都合が良すぎると思いませんか？」

「それはまあそうかもしれないけど、仮にこの施設の誰かが相沢さんを殺そうとしたのだとして、ビデオに映ることなく胸を苦しませながら殺すようなことは出来ないと思うよ」

いや、僕も彼女の懸念が理解できないわけではない。

ただ言うなれば完全なる密室において、相沢さんを遠隔から狙ったタイミングで殺すことなんてとても出来るとは思えなかった。

「もちろん直接殺したりすることはあり得ないですよ。外傷もないですし、ビデオにもそんなの映ってないですし。でも毒を飲ませることはできますよね」

「毒ねぇ……でもさ、毒なんてそんな簡単に手に入るものじゃないと思うんだけど」

「いえ、ありますよ。すっごく有名な毒がこの施設の中に」

否定的な僕の見解に対し、宗方は首を左右に振りながら思わぬ事を言い出す。

「この施設の中に？」

「ええ、渡り廊下ですよ。あの場所に水槽がたくさんあったのを覚えてませんか？」

「水槽か……ああ、確かにあったね。もともと離れに置いていたものだって聞いた気がするけど」

「その水槽の中に、クサフグも飼われていたはずです。そして相沢さんはお昼に魚料理を食べたって言ってましたよね。そう、それも相沢さんだけ。他の入所者は豚肉の炒め物を食べていたはずです」

「確かにそういえば……」

宗方の指摘に対し、僕は梅垣氏を診察した際に、彼が昼の豚肉の炒め物で胃もたれしたと言っていたことを思い出した。

「いえ、相沢さんが豚肉とかにアレルギーをお持ちならわかりますよ。でもそうじゃなかったですよね」

「ああ、アレルギーはないって言っていたはずだ。となると、意図的に相沢さんだけ別の食事を提供した可能性があるわけだ」

「そうです。そしてその食事こそ、問題となる魚の煮付けです。もし仮にその魚がフグだったとしたらどうでしょうか?」

フグの毒とされるテトロドトキシン。

あの毒ならば、確かに神経伝達を遮断して呼吸を麻痺させることが可能かもしれない。

ただ……

「フグ毒での殺人……か。いや、駄目だな。やっぱり今回の経過を考えると、その仮説はちょっと無理があるよ」

「え、どうしてです？」

「フグ毒の発現（はつげん）時間は知ってる？　だいたい数十分から三時間くらいとよく言われているはずだよ。で、正午に昼食をとった相沢さんに僕たちが会ったのは、午後四時前くらいだよね」

そう、そうなのだ。

フグ毒は想像以上に症状が早く発現し、場合によっては病院への受診が間に合わないこともある。だから毎年フグ毒での死亡者が発生してしまうのだ。

そしてそれ故、今回のケースにおいて、フグ毒による殺人はあり得ないと考えられた。

「テトロドトキシンでの毒殺ならば、私たちが到着した時点ですでに症状が出ているはずだということですか」

「そういうことさ。まあその意味では、たとえば麻黄附子細辛湯で使用されている附子もさらに症状発現が早いから否定できるかな。あと水仙なんかも毒と言えなくはないけど、同じく症状発現が早い上に、嘔吐してる様子なんかがビデオに映っててもいいはずだよね」

彼女の発想から他の可能性にも思い至りつつ、すぐさま僕はその案を破棄する。

すると、宗方は納得したようにゆっくりと首を縦に振った。

「……確かにそうですね」

「仮にこれが殺人事件だとした場合、犯人が僕たちに求める役割は、コロナ以外の理由で相沢さんが病死したと証言することにある。でも、それらの毒だとこの狙いは成立しないよね」

「私たちが到着する前に急変してしまったら、何も意味がないですからね……」

自身の仮説における問題点を改めて理解し、宗方は顎に手を当てながらその場で黙り込んでしまう。

「いや、もちろん僕たちが診察した後に何らかの方法で毒を投与したというのなら、確かに可能性はあると思う。でも実際問題として、ビデオを見る限りあの離れには、僕たちの後に誰も——」

状況の整理をしようと、僕が問題点を述べかけたタイミング。

そこで突然、僕の言葉を遮る(さえぎ)ように病院用のＰＨＳが外線モードで鳴り始めた。

「はい、柊ですが」

「柊くん、遅いよ。一体、なにしてるんだい。早く帰ってきてくれないと、仕事が終わらないじゃないか」

まったく人が困っている時に……

空気を読まない電話の発信者に対し、僕はあきれるとともに言葉を返す。

「三神先生ですか、こっちは大変なんです」

「こっちも大変なんだよ。さっきから私に対してさ、薬を手配しろとか、病棟の患者に中心静脈カテーテルを留置しろとか、意味のわからない電話が掛かってくるんだけど」

「それはちゃんとしたお仕事でしょ。少しは働いてくださいよ」

僕と三神先生の二人体制で診療をしている以上、僕が病棟業務を行えないのなら、看護師さんが上司に業務を催促するのは当然のことだ。

それをこの状況下でなぜ愚痴られなければいけないのか、僕は心の底から本当に理解しかねた。

「いや、確かに仕事は仕事だけどさ、そのあたりは本来なら柊くんの業務でしょ」

「待ってください。じゃあ先生の仕事ってなんですか?」

「キャンプ用のロッキングチェアの組み立てとか?」

……そういえば、今のこの人のマイブームは院内キャンプなのだった。

そんなくだらない事実を思い出させられた僕は、あきれ口調で上司どのに向かい反論する。

「あのね、いい加減ちゃんと働いてください。本当にこっちはそれどころじゃないんですから」

「なんかいつも以上に、柊くん棘があるよね。老人ホームで何かあったわけ?」

「何かって、例の訪問診療で訪れたコロナ疑いの方が急死したんですよ。なので、しばらくは戻れませんから」

くだらない上司どのからの電話を終えようとばかりに、僕ははっきりとそう告げる。

途端、三神先生の不満の声が僕の鼓膜を震わせた。

「待ってよ、それじゃあ私が働かなければいけなくなるじゃないか。というか、急死？　確か重症例じゃないって触れ込みだったはずだよね」

「ええ、僕たちが診察した段階では、もしＰＣＲ検査陽性だとしても軽症例としか思えませんでした。それが急変したんです」

「ふぅん……ああ、採血検体は既に病院に持ってきているわけか。患者さんの名前は相沢弘恵さん、と。おや、亜鉛低値に、プロカルシトニン陽性か……」

勝手に患者のカルテにアクセスした三神先生は、細菌感染などで認めることがあるプロカルシトニンが陽性だったことと、血中の亜鉛の数値が低かったことを口にし、なぜかそのまま黙り込んでしまう。

その反応に僕は違和感を覚えた。だがそれは一瞬のことで、我が上司どのは思いも掛けぬことを突然言い出す。

「柊くん、この症例に関して少し詳細を教えてくれるかな」

「え、まあ良いですけど……」

久方ぶりに患者への興味を示した上司どのに戸惑いつつ、僕は相沢さんに関する病歴から、この施設にやってきて見聞きしたことを一通り三神先生へと報告する。

途端、上司どのは小さく息を吐き出すと、思いがけぬことを口にした。

「なるほどね。いや、そういうことなら話が早いか。柊くん、今すぐ病院に帰ってきてよ。もう君がそこでする仕事はないからさ」

「する仕事はないって、まだ死亡診断書も書いてないんですよ。何がどうなったのかさえも謎だらけなのに」

自身が最後に診察した患者が突然病死した以上、最後まで責任をもって診断書を書くのが筋だ。

だからこそ、混乱の最中にある僕は我が上司どのの身勝手な物言いに反発する。

しかし電話越しでもわかる程に、三神先生はあきれた様子で僕へと思いがけぬ内容を告げてきた。

「謎だらけ？　いや既に、謎は退院（エントラッセン）だよ」

「え……」

「そして君が死亡診断書を書く必要はない。敢えて君がそこでしておくべきことがあるとしたら、それはたった一つ。警察に電話すること。何しろ君が直面しているのは、明らかに計画された時間差殺人だからね」

エピローグ

「……どうしてわかったんですか」

いつの間にか、この狭い部長室の中に新たに置かれていたアウトドア用のロッキングチェア。

まるで子供のように椅子を揺らしアウトドアごっこを楽しむ我が上司どのを前に、僕は溜め息交じりにそう問いかける。

すると上司どのは、ナチュラルに僕を煽るかのような言動を返してきた。

「むしろさ、なんでわからなかったわけ？」

「いや、普通は病死を第一に考えるじゃないですか。使えそうな毒も、経過には合わないものでしたし」

「でも違和感はあったわけでしょ。結構さ、臨床ではそういう感覚って大事だよ。君は普段から、うちの姪に対しそう言って指導しているって聞いているけど」

三神先生は机の上に置いた缶ビールを手に取ると、機嫌よさげな口調でそんな事を言ってのける。

病院内で堂々とビールを飲む医者に対し、なぜか説教をされるという許しがたいこの状況。

　そのことを理解した僕は、思わず舌打ちをしそうになる。

「否定はしませんが、それはあくまで医学的な診療における感覚のことです。少なくとも、本来ならば医師が殺人事件の感覚を磨く必要なんてないと思いますが」

「それは確かにもっともだけど、今回は医学的知識を使った殺人だよね。それに臨床的な鑑別診断をちゃんとやれば、当然ながら毒物による中毒死の可能性は考慮されるべきだと思うよ」

「まあ、そうですけど……」

　言っていることは一々もっともではある。

　しかしながら状況的にも、そして感情的にも、僕には素直に首を縦に振ることはためらわれた。

　一方、ニコニコとした表情の上司どのは、止めるつもりなどまったくないのか、さらに僕への説教を続けていく。

「ちゃんとさ、病気でも何でも鑑別をしなければ駄目だよ。小説の中の探偵なら鮮やかに一点買いで謎を解き明かしても良いけどさ、医療の現場で一点買いなんて論外だし、複数の鑑別をあげた上で、きちんとその精度を突き詰めていかないと」

「言いたいことはわかります。でもどうやったら、中毒死を遅らせることなんて出来るんですか」

「あれ、警察の人からは聞いてないの？」

「所長さんが殺人を自白したことは聞いています。でも方法までは教えてもらえませんでした」

「まあそういうものだよね。だから僕のところへ答えを聞きに来たわけ？」

明らかにニヤリとした表情を浮かべた三神先生は、わざとらしくわかりきったことを僕へと尋ねてくる。

それに対し、やはり素直に頷くことには抵抗があった。

しかし悔しいことに、この胸のモヤモヤを抱えたままでいることはそれ以上に嫌だった。

「ええ、そうです……」

「なるほど、いや素直に自分の力不足を認められるのは良いことだよ。でも説明するのはちょっとめんどくさいし、やっぱり自学自習にしない？」

「部下への指導は、上司の仕事のうちだと思いますが？」

「じゃあ自主性を重んじるのを、うちの科の方針としよう」

こういう非効率的な努力を求めだすのが昭和生まれの悪いところだと、僕は思わず愚痴りそうになる。

いや、やはり主語を大きくするのは良くない。

悪いのは昭和生まれではなく、目の前のこの怠惰で適当な男だけだ。

「勘弁してください。既に自分なりに色々と考えはしました。ですが、どうにも方法が思いつかなくて」

「どんなやり方を考えたわけ？」

「テトロドトキシンをカプセル化することで、症状の発現を遅くするとか」

「ああ、なるほど。でも基本的に市中で入手しやすいゼラチンカプセルだと、そんな都合良く消化を遅らせられないよね」

「いや、多少はそのまま内服させるよりも遅らせることは出来ます。ですが、今回の事件ほど症状発現を遅らせることは流石に……」

「だとしたら、その仮説に意味がないよね。無駄な仮説はさ、真実から思考を遠ざけるからさっさと捨てた方が良いよ。第一根本的な問題として、中毒死を引き起こした毒自体、テトロドトキシンではないのだからね」

「え……じゃ、じゃあ何を使って毒殺したっていうんですか」

まったく予期していなかった三神先生の言葉。

それを耳にした途端、僕は思わず我が上司にそう問い返す。

すると、上司どのはややあきれた表情を浮かべながら、想定外の物質名を口にした。

「附子だよ、附子。あれ、もしかして附子を知らないの？」

「知っていますよ。僕が先生に麻黄附子細辛湯を使っていたって報告したんじゃないですか。でも、附子……いや、トリカブトの可能性はあり得ませんよ。だって、トリカブトの毒性成分であるアコニチンなら、テトロドトキシンよりさらに早く症状が出るはずです」

そう、確かに今回の事件において、所長が漢方薬で使用する生薬としての附子、いわゆるトリカブトを毒物として使用した可能性には思い至っている。

しかしその毒性成分であるアコニチンの症状発現は、フグ毒よりも早いことは明らかであり、今回の中毒死に対する原因物質として、附子は否定できると僕は考えたのだ。

一方、そんな戸惑いを覚える僕に対し、三神先生はあきれた口調でまるで馬鹿にするかのように、思いがけぬ問いかけを向けてくる。

「柊くんはさぁ、学生時代に生化学の授業真面目にやってた？」

「まあそれなりには」

「だったらさぁ、ナトリウムチャネルの事を考えれば答えが見えるでしょ」

「……もしかして、テトロドトキシンとアコニチンでナトリウムチャネルの作用を拮抗(きっこう)させたんですか」

たとえばワルファリンとセレコキシブが相互作用を有しているように、テトロドトキシンとアコニチンもそれぞれの作用を抑えるという相互作用が存在する。

その理由は、神経伝達に関わるナトリウムチャネルという膜タンパク質に対し、それぞれが不活化と活性化という相反する作用を有しているためだ。

　つまり結果としてこれらを同時に服用することで、それぞれの毒性原因とされる作用が拮抗してしまい、一時的に症状が発現しないことが考えられた。

「正解。なんだ、ちゃんと勉強してるじゃないか。だとしたら、鑑別にあげなかったのは君の怠慢だね。給料を受け取っているんだから、仕事はもう少し真面目にやった方が良いよ」

「で、ですけど、薬物の作用が拮抗するなら症状が発現しないわけですよね。なのにどうして中毒死なんですか」

「あのさぁ、テトロドトキシンとアコニチンの体内での半減期を考えなよ。テトロドトキシンは半減期が短いから、すぐにアコニチンの割合が体内で優位になるでしょ。そしたらアコニチンの作用が表に出てくるわけで、中毒死は当然の結果じゃない？」

　何を当たり前のことを聞いているんだと言わんばかりに、三神先生は僕に向かい溜め息交じりにその理由を説明してくる。

　いや、確かにテトロドトキシンは、アコニチンよりも体内で無毒化されるまでの時間が短い。つまり毒を投与してから体内でアコニチンが優位になるまでの拮抗時間の内に、所長さんは僕たちに患者を診察させ、そのことで既に毒物が投与されているにもかかわらず正常な状態だと勘違いさせたのだろう。

結果として、コロナ関連死でもそして毒殺でもなく、診断がつかない時に使われてしまうことがある心筋梗塞や心不全あたりの病名をもって、病死と誤診させるのが今回の計画だったというわけだ。

「入所している人も言っていたんでしょ、経営がうまくいってなかったって。そんな状況で、コロナ陽性者のクラスター疑いなんて噂がばら撒かれたら、まあ近いうちに立ち行かなくなるよね。もっとも、おそらく今回のPCR結果は陰性だろうけどさ」

「え、なんでわかるんですか」

思いも掛けぬ事を言い出した三神先生に対し、僕は半信半疑でそう問いかける。

すると、再び上司どのはあきれ気味の問いかけを僕へと向けてきた。

「君さあ、なんのために採血検査したわけ?」

「……まさか低亜鉛による味覚障害」

「なんだ、わかってるじゃないか。たぶん元々、栄養状態が良くなかったんだろうね。その結果としての低亜鉛で味覚障害は十分に考えられるでしょ。ちなみに、プロカルシトニンが陽性で頻尿もあるんだから、尿路感染が発熱の原因だったのかもね」

上司どののその言葉に対し、僕はもう言葉を発することが出来ずただ頷くことしか出来なかった。

亜鉛不足の状況では、味がわかりにくくなる味覚障害が発生することが知られている。

また発熱症状に関しても、細菌感染症にて上昇しやすいプロカルシトニン検査が陽性であり、ウイルス感染症であるコロナ感染ではこの検査は6％前後でしか陽性を認めないという報告が出てきている。このことに相沢さんが頻尿症状を訴えていたことを加味すると、発熱原因としてはウイルスではなく、細菌性尿路感染症の可能性を検討すべきだったことは、まさに否定しようがなかった。

そう、つまりコロナウイルスを示唆(しさ)する全ての所見は、亜鉛不足と尿路感染という別の要因で説明されてしまい、全ては存在しないウイルスを恐れたあまりに生じた、まさに不要不急の殺人事件だった可能性があるのだ。

「ということで、本当ならワイドショーなんかの養分になるような案件ではなかったわけ。だけど、今回の事件が表沙汰になればどうだろうね。いやはや、存在しないものを恐れてこんなことをやらかすんだから、ほんと人間とは救いがたい存在だよね」

軽く両腕を広げると、三神先生は再びロッキングチェアにもたれかかる。

陰謀渦巻く医局の教授選に嫌気がさし、こうして市中の病院に天下ってきた我が変人上司どの。

そんな彼の発言であるが故、僕としては簡単にその言葉を否定することは出来なかった。

だがそれでも、一つだけ念を押すように僕は三神先生へと問いかける。

「でもそれでも先生は、救いがたい存在を救うために、医者を続けていかれるんですよね」

「さてどうだろう。少なくとも人間である以上は、霞を喰って生きていくことは出来ないからね。それにまだ……」

なぜかそこまで口にしたところで、三神先生は突然口を閉じ、そのまま手にしていた缶ビールを机の上へと置く。そして小さく溜め息を吐き出した後、彼はまったく違う話題を僕へと向けた。

「そう言えば、綾ちゃんが君に怒っていたよ。早くナノエッレに連れて行けって。仕事を手伝わせたんだから、ちゃんと報いてあげた方が良いんじゃないかな。拗ねる前に連絡をしてあげる事をおすすめしておくよ」

ああ、そうだった。

宗方には病院に戻った後、深夜まで業務を手伝わせたんだった。

「確かに手伝ってもらった相手には、報いるべきですよね。ちょっと今から連絡してみますよ……それと、これは預かっておきますね」

そう口にするとともに、僕は机の上に置かれた缶ビールを手にする。

途端、三神先生は珍しく戸惑いながら抗議の声をあげた。

「ちょ、ちょっと柊くん。まだ入っているんだけど」

「ええ、だから預からせてもらいますよ。先生が僕たちの診断を手伝ってくださったのですから、やはり報いるべきだと思うんです。なんとかの不養生と言われないよう、休肝日を作ってください。少なくとも、僕はまだ一人でやっていくつもりはありませんから」

それだけを言い残すと、僕は半分以上中身が残ったままの缶ビールを片手に部屋から出ていく。

そうして意気揚々と部長室のドアを閉めてしまったが故に、その時の僕は我が上司どのが先ほど言い損なったことを、そっとつぶやいたことに気づかなかった。

「はぁ……まあまだしばらく君たちのお守り(も)が必要そうだから、嫌気がさそうが、体調が悪かろうが、残念ながら辞めるわけにはいかないか」

一人となった上司どのは、手に取りかけた新しい缶ビールを名残惜しそうに眺めるも、結局開けることなく溜め息とともにそっと冷蔵庫の扉を閉めた。

世界最大の密室

渡辺浩弐

渡辺浩弐（わたなべこうじ）

小説家・ライター。ゲーム制作会社（株）GTV代表を務める。
代表作に「ゲーム・キッズ」「iKILL」の各シリーズ
（ともに星海社FICTIONS）、
『吐田君に言わせるとこの世界は』（星海社）などがある。

男の死体が見つかった。１１９と１１０がコールされ駆けつけた人々はそれぞれの仕事を果たした。が、これが密室殺人だということには誰も気づかなかった。

「宇宙の缶詰」というタイトルの現代美術作品がある。缶の内面に「宇宙」と書いたラベルが貼ってあるものだ。

つまりその内側が「外側」になっているということだ。この缶は、この宇宙まるごと全てを裏返しにしてくるみこんでしまっているのである。

２０２０年春。そんなふうに世界が逆転していた。人々は部屋にこもり、そこから世界を観察していた。まるでウィルスの培養試験管を覗く科学者のように。そして誰もいなくなった街は、完全密室になっていた。

そんな無人の街角に一人の中年男が倒れていた。

大通りに面した歩道だったにも拘わらず、ほとんど人通りがなかったせいで発見が遅れた。警察が到着したのは昼過ぎだったが、死亡時刻はその12時間も前と推定された。

現場は男が一人暮らしをしていたマンションの部屋の真下だったから、彼はベランダに出てそこから飛び降りて自殺した、と、事件はそう処理された。

　警察は重要な事実を見逃していた。彼が死んだ時、彼の部屋は玄関だけでなくベランダに面した窓も内側から施錠されていたこと。そして彼が鍵を所持していなかったこと。鍵は死体の周囲にも、どこにも、落ちていなかったこと。

　つまりその空っぽの部屋は完全密室状態だった……いや逆だ。男は死の直前、世界が密室になっている様子を見ていたのだ。

　彼は自分の部屋から締め出されたのではなく、世界という部屋に閉じ込められ、そこで殺されたのだった。

　密室殺人事件は、その完成度が高いほど、怪しまれる。疑われる。名探偵や名刑事を召喚（しょうかん）することになる。殺人を秘匿（ひとく）したいのであれば、むしろ完璧であればあるほど不利なのだ。

　この密室殺人は、そのセオリーに反していた。実に不可解で、不思議な殺人現場が完成していたにも拘わらず、部外者には一切、怪しまれることも疑われることもなかった。

　犯人の、それが狙うところだったのだ。

　結局この事件に捜査のメスが入ることはなく、全ての人の目をあざむいたまま、完全殺人は成立してしまった。

疫病の流行によって世界じゅうの人々がひきこもり生活を強いられるようになってから3ヶ月。男は悩み苦しんでいた。閉じ込められていたからではない。むしろ逆だった。彼は実利主義、そして快楽主義の人間だった。無駄なことをしない。自分のメリットにならないことはしない。その信条のもと、極めて効率的な人生を送ってきた。

若い時分は人一倍懸命に働いた。努力が実り、30歳になる頃には既に高い地位につき、莫大(ばくだい)な収入を得ていた。個人的に行っていた投資にも成功した。が、貯金額が目標に達した段階であっさりと仕事をやめ、海外に移住すると言って全ての知人との関係を絶った。

もともと、その予定だったのだ。

幼い頃から、一生で使い切れない額を稼いでさらに働き続けている有名人を見るたびに、なんて馬鹿なのだろうと考えていた。墓の中にまで現金を持っていけるわけでもないではないか。

男の人生設計は精確だった。海外移住の話はカムフラージュで、部屋にひきこもって遊んで暮らすことを決めていた。その生活にかかる日々の出費をシミュレートし、それに自分の寿命を積算し、残りの人生に必要な金額を細かく見積もった上で隠遁(いんとん)生活に入ったのだ。

以来、ほとんど部屋から出ることがなくなった。好きなだけ眠り、好きな時に起きて、誰にも気兼ねすることなく、24時間を自由気ままに過ごした。それから7年の歳月が経過した。予想通り、完璧なまでに快適な日々だった。

不自由することはなかった。今どきは通信販売でどんなものでも買えるし、出前やお取り寄せで全国のグルメが味わえる。映画もゲームも、昔のものも最新のものも一瞬でダウンロードできる。

友達や恋人がいなくても問題はなかった。ＳＮＳでは匿名で多くの人々と交流することができた。ネットには女性を派遣してくれるサービスもあった。孤独はそれで十二分に癒やされた。そういう後をひかない人間関係こそが、彼の望むところだった。

日々あくせく生きている普通の人々のことは完全に見下していたが、もちろん自分の暮らしぶりが万人に受け入れられるものではないことは認識していた。だから、この生活スタイルを世間一般の人々が求められる、そんな時代がやってくるなどとは夢にも思っていなかった。

疫病の流行が世界をパニックに陥れたことも、緊急事態宣言が発令され外出が制限されるようになったことも、はじめは他人事として見物していた。もともとひきこもっている人間にとっては、この生活をただ続けていればいいだけの話なのだと、そう思っていた。ところが違った。そこから男は予想だにしなかったストレスに日々さらされることになった。

世の中の人々が部屋に閉じこもるようになると、彼らはその生活を、普段の自分たちのノリで楽しもうとするようになった。

これまで外できゃあきゃあ騒いでいたそのままのテンションを部屋に持ち込んだ。そして歌ったり踊ったり、あるいは料理だとか体操だとか部屋で行っていることを、ふざけながら、楽しみながら、公開するようになった。

ＳＮＳだけでなく、一般のテレビ番組でも、そういう個人動画がこれでもかとばかりに流れた。

男にとって、それがとてつもなく不快だった。ネットから、テレビから、あふれ出してくるバカ騒ぎ。見なければいいのに、つい見てしまう。どうしても無視できない。

やがて悪夢を見るようになった。男はおぞましいモンスターどもが跳梁跋扈する荒野を逃げ惑っている。洞穴を見つけ、逃げ込む。大きな石を転がして入口を閉鎖し、ようやくほっと一息つく。ところがその時、ふと背後に気配を感じる。振り返るとそこは穴の中ではなく荒野で、大量のモンスターが迫ってきている。そこでいつも目が覚める。

これは一体どういうことなのか、つらつらと考え、内と外がひっくり返ったのだと気づいた。

世界中の人々の個室が白日の下にさらされるようになった。彼らはそこでつながりあいながら、無人になった世界のことを眺めている。つまり、全ての個室が今は外側になっているということなのだ。

問題は、自分のこの生活がもう特別なものではなくなったということだった。これまで安心してこもっていた自分の場所もまた、外側になったのだ。忌み嫌って逃げ出してきた世界にまた、放り出されたわけだ。

この忌々しい感覚から逃れるためにはもうテレビもネットもオフにして、毛布をかぶってずっと寝ているしかない。もちろんそんなのはまっぴらだ。

悶々(もんもん)とした時間を過ごした。そしてある晩、男は思い立ち、久しぶりに外出用の服を着た。

出かけることにしたのだ。もちろん人に会いたいわけでも、賑(にぎ)わいを楽しみたいわけでも、なかった。ただ、この部屋から壁を越えて移動してみることに意味があった。誰もいない街に。

期待した通り、街は閑散としていた。まだ深夜というほどの時間でもないのに、まるでゴーストタウンのようだ。警察官すらも見かけなかった。人がいない場所を警らしていても意味がないということか。

繁華街まで足を延ばしてみた。カラフルな看板が並んでいる。様々な飲食店、パチンコ、カラオケ、スポーツジム、風俗店。しかしどの店もシャッターが下ろされ、電飾は消されていた。街灯だけはわざとのように一つ残らず点いていて、単色の光がしらじらしくその風景を照らし出していた。

飲み屋が軒を連ねる一角に足を踏み入れた。以前、よく歩いた界隈だ。かなり様変わりはしていたが、見覚えのある店もあった。

往時のことを思い出した。

働いていた頃は、本当によく酒を飲んだ。同僚と大騒ぎしたり、上司の説教に夜通しつきあったりしたこともあった。世間的にはそれがまともな若者の姿だったのだろうが、今ではわかっていた。普通の若者を演じていただけだったと。酔って延々とつまらない話を繰り返す仕事仲間のことを、腹の底では馬鹿にしながらグラスを空けていた。

当時、女性にはもてていた。常に恋人もいた。彼女たちとのつきあいは、とてもありきたりのものだった。話題のスイーツを食べ歩いたり、映画館やコンサートホールに行ったりした。

しかし、恋愛を実らせ、結婚して、家庭を築いて、そのためにずっと一生懸命に働いて、という人生設計を思い描いていたのかといえば、そんなことは全くなかった。なにしろ一刻も早く一人でひきこもりたいと考えていたのだ。全ての女性は一時的な暇つぶしの対象だった。真面目につきあっていたことは一度もなかった。

いつだって、あくまでも大事なのは自分だった。だからこそ、目途(めど)がついた段階で仕事も人間関係もさくっと切り捨てることができたのだった。

恋人達の存在はひきこもり生活に入ってからは商売女にとって代わったが、失ったものは何もなかった。むしろ手間は楽になった。つまらない会話につきあう必要はない。誕生日のプレゼントやクリスマスのイベントに頭を悩ませる苦労もない。金銭的にも安上がりになったくらいだった。

昔のことを思い出しながら、誰の目にも留まることなく、自由気ままに歩き回った。この散歩はとても楽しいものだった。今に限っては、部屋にいるよりも街に出ている方が安らぎを得られるのだ。

喉の渇きを覚えた。思いついて、酒を飲むことにした。店はどこも閉まっているが、ここで、街角で、一人で飲めばいいのだ。

そもそも飲み屋の雰囲気は大嫌いだった。うるさいし、不潔だし、それに煙(けむ)い。酔っぱらいは皆、大声で、下品だ。

ひきこもって以降、一人で部屋で飲む酒は最高だった。

今ならここで飲むのは悪くない。この無人の街は、まるで自分の部屋のようだから。

冷蔵庫の代わりに自販機があった。テーブルの代わりにツツジの植え込みが、椅子の代わりにガードレールがあった。

まず缶ビール、人心地がついてからはカップ酒。飲んでいると、ゆっくりと心がほぐれていった。こんなに平和な気分になれたのは、疫病騒動が始まって以来初めてのことだった。

風がさわやかだった。空気を胸いっぱい吸い込んだ。男はアレルギー体質で、例年この時季は部屋の換気もままならなかったが、深呼吸してもあの不快なかゆみも連発するくしゃみも表れない。花粉のせいだと思っていたが、実は原因は大気汚染だったのだ。世界中で工場の操業が止まり自動車の往来が減っている今、空気はとても澄んでいるのだった。

空を見上げると、星がきれいに見えた。

とても懐かしい気持ちになった。星を見たのはいつ以来だろう。そんなことをぼんやり考えていた。

するとふいに脳裏に浮かんできた。一人の女性の横顔が。

思い出した。間違いない。最後に星を見たのは10年前のことだ。あの時も、こんなふうに夜中の街角にいた。彼女と一緒に。

その女性のことも、まるで玩具(がんぐ)のように扱っていた。

いつも気が向いたら呼び出した。夜中だろうが気にしなかった。彼女は忙しくても体調が悪くても、すぐに来てくれた。

何軒も飲み歩いたものだ。支払いはいつも彼女だった。

そんなある夜、二人で、屋外で座っていた。いや、座り込んでいたのは泥酔した男で、彼女は介抱してくれていたのだろう。

ただ、一緒に空を見上げていた瞬間があった。

きれいねぇ、と、彼女の声があまりに澄んでいて、思わずその横顔を見たのだ。無邪気な笑顔だった。

その表情がありありと脳裏に蘇った。胸がぐっと苦しくなった。

あの時、ふと思ったのだ。自分はこの人のことを本気で好きかもしれない。この人を幸せにすることができたら、それは良い人生になるかもしれない、と。

しかし星空から視線を落としたら、薄汚いアスファルトが目に入った。男は手にした缶から、ぬるいビールを喉に流し込んだ。

違う。女なんかに流されてはいけない。

そろそろ潮時だ、この女とはもう別れよう。

そう、自分に言い聞かせたのだった。

今思うと、あれが、あの瞬間が、分かれ目だった。

自分は正しかったのか。間違っていたのか。

定位置のガードレールと自販機の間を何度も往復しながら、とめどなく飲み続けた。

気づくと、スマホを握って、無意識に電話帳をスクロールしていた。

指が勝手に動いていた。

画面上に、その女の名前があった。

携帯電話は何度も替えていたが、そのたびに整理するのも面倒で、前のデータをそのまま移行していた。もうかけることのない、それが誰だかすらわからなくなった番号も、たくさん残っていた。

その中に、彼女の番号も紛れていたのだ。

指が震えた。彼女の番号に、触れた。

そして。

呼び出し音が響いた。それは無音の街の中で、驚くほど大きく響いた。彼女……10年前に別れ、男の人生から消えた女を、呼び起こそうとする音が。


かちゃり。


スイッチが切り替わったような音を聞いた。それはとても近くで鳴った。もしかしたら耳の中で。

瞬間、目が覚めた気がした。

あわてて切った。

彼女が出たわけではない。そもそも彼女がいまだにその電話番号を使い続けているわけがない。頭ではそう考えてはいたが、心はひどく乱れ、いつまでも胸がどきどきしていた。

押してはいけないものを押してしまった。

それはただの電話番号ではなかった。

おそろしい世界につながる門を開けるスイッチを、自分は押した。

そんな気がしていた。

立ち上がった。飲みかけのカップが地面に落ちて砕け、酒が飛び散った。

足裏が地面をしっかりとらえている感覚がない。それでも歩き始めた。

街は無人だったがどこもひどく明るくて、映画のセットのようにクリアだ。

しばらく歩いた。多少酔ってはいるが、いまだに動揺はしているが、意識はしっかりしているつもりだった。ところがやがて男は立ちすくんだ。自分がどこにいるのか、わからなくなっていた。

見たこともない風景に入り込んでしまっていた。そんなに移動したわけではないはずだ。どこかで違う角を曲がったのだろうか。しかし多少道を間違えたとしても、このあたりなら全く知らない路地などないはずだった。

またスマホを出してみたが、珍しいことに電波が届いていなかった。あるいは故障しているのだろうか。

あたりを見回してみて、様子がおかしいことに気づいた。風景が、街に存在する全てのものが、どこかいびつなのだ。

ビルの窓の大きさがばらばらだった。電柱の高さも不揃いだ。電線の本数が尋常でなく多く、フォークに絡んだスパゲッティのように垂れ下がっていた。路肩に停められているクルマはどれも、熱を帯びた飴（あめ）のようにゆがんでいた。車体の下半分が道路にめり込んでいるタクシーもあった。路面にはたくさんの矢印がでたらめに描かれていた。

頭を振り、深呼吸した。それから目を大きく開けた。店の看板の文字に焦点を合わせてみる。一文字一文字、輪郭まで見えた。大丈夫、自分は素面だ。そう思ったとたん、ある事実に気づいた。それらの文字が、男には読めなかった。何語なのかすら、わからなかった。漢字でもアルファベットでもハングルでもないのだ。

眼前に広がっているのは、地方の遊園地のホラーハウスのような、三文芝居の書き割りのような、心を不安定にさせる風景だった。しばらく外に出ないうちに、街は自分の知らない形に成長していたのだろうか。あるいは人がいなくなり放置されたせいで、街が荒れ、壊れ始めているのか。

どの考えもおかしいということを、自分でもわかっていた。本当の答は一つだ。酔っているのだ。

男はふうとため息をつくと、また、歩き始めた。

ひたすら足を動かした。でたらめに角を曲がった。

不思議と疲れは感じなかった。

自分はこの無人の街をこれから永遠にさまよい続けるのではないか。そんな思いにとらわれていた。ここが、この街が、自分が本来いるべき場所であるとしたら。たどり着くべき目的地など、ないのだ。

どれくらい歩いたか、わからなくなった頃。いきなり見覚えのある白いビルが目の前に現れた。

何度も目を凝らしてみた。信じられなかったが、間違いない。自分が住んでいるマンションだった。

喜びよりも驚きが先に立った。角を曲がる直前まで知らない場所にいたのだ。出歩くことがほとんどないとはいえ、住んでいるマンションの周囲の風景くらいはわかっているつもりだった。

酔いのせいとは思えない。全てのものは正しく見えている。

ガラス扉の横に掲げられた銘板に目を凝らす。読める。よく知ったマンション名がしっかりと刻まれている。合っている。

自分の鍵で、オートロックは解錠する。これも合っている。

エントランスから、エレベーターに。目をしっかり開いて、足を一歩一歩前に出して、進んでいく。

何も間違えてはいない。しかし、なんだろう、この違和感は。

今はもう自分を包む風景だけでなく自分自身のことまでをいぶかしく思い始めていた。

19階。エレベーターが停まる。降りる。足を前に。ここから左、さらに左折。そして33歩。ドア。表札。ナンバー・１９１３。

よくできました。男は自分をほめた。たとえ幻覚をみるほどに酔っていたとしても、ちゃんと部屋に着くことができたら、それで合格だ。

ところが安心したせいか、ここでもたついてしまった。鍵がうまく回らない。何度もやり直していたら倒れ込みそうになり、ドアハンドルにしがみつくと、がちゃりと開いた。逆に回していたのだろうか。

座り込んで、靴を脱いだ。本当はこのまま床に倒れて眠ってしまいたいくらいだったが、なんとかまた立ち上がった。

ひきこもり生活はルーティンが大切だ。それが彼の信条だった。自由だからこそ、だらしなくなってはいけない。たとえ泥酔していたとしても、自分はこれから正しいコーヒーを淹れ、正しいシャワーを浴びなくてはならない。顔を上げ、胸を張った。

そして気づいた。

……やはり変だ……

玄関は小さなＬＥＤだけが点いている。

玄関、廊下、その先にドア。見慣れた風景だ。しかし、どこか違う気がするのだ。

正面のドアだ。その隙間から、わずかな光が漏れていた。

リビングの灯りは消して出た記憶があった。

それに、そのドアはいつも開け放しにしていたはずだった。

……もしかして……

泥棒に入られたのではないか。あるいは、今そこに誰か、もしかしたら強盗が、潜(ひそ)んでいるのか。

しばらく凍りついていると。

「おかえりなさい」

ドアが開いて、そこから女が出てきた。

「遅かったのね。お腹は減っていない？」

その声で、この女が誰かわかった。

「ただいま……」

反射的にそう答えたが、声はかすれていた。驚愕のあまり、膝から崩れ落ちそうだった。なんとか歩いた。おそるおそる進み、リビングに足を踏み入れ、ダイニングチェアにゆっくりと腰掛けた。

「どうしたの。ひどい顔してる。飲んできたの？」

「ああ……」

「お茶漬けでも作ろうか？」

女はごく自然にそう言った。10年前に別れたはずの、あの女が。

過去にタイムスリップしたわけではない。なぜならそこにいる彼女は、別れた瞬間からしっかり10年分は年をとっていたから。

けれども老け込んだ感じではない。以前よりやせていて、そのせいか目鼻立ちが際立っていた。むしろ色っぽくなった気がする。

「あの……君、どうして」

「どうしたの。私の顔、何かついてる？」

「いや」

目を閉じて頭を振った。

「すまないが……コーヒーを一杯……」

「わかった。すぐ淹れるから」

お湯を沸かす音。コーヒー豆を挽く音。カップの鳴る音。女の鼻歌。彼は大きく息を吸い、吐いてから、目を開けた。

部屋の家具や調度品は変化していた。そのことに今まで驚かなかったのは、この風景を深層心理ですんなりと受け入れてしまっていたからだ。部屋の中の全てが、色も形も好みのものばかりだった。どれも自分で選んで買ったもののような気がするのだ。

「どうぞ」

コーヒーの香りが脳を包み男は陶然とした。味も素晴らしかった。彼の好みのエチオピア・モカを浅煎りで、粗挽きで、酸味強めに抽出していた。

テーブルの隅に新聞を見つけ、すぐに鷲掴み(わしづかみ)にして確かめた。紛れもなく今日の日付だった。

全てのものははっきり、くっきりと見えていた。コーヒーカップと新聞を載せたテーブルは、男の趣味とは少し違うが、この部屋にとてもよくなじんでいた。その理由はわかっていた。この女と、もし結婚したら木製アンティークのテーブルや椅子を揃えようと約束したことがあった。ソファーはゆったりとしたものを。大型テレビとサラウンドのスピーカーをセットして一緒に映画を見よう。

10年前の空約束(からやくそく)そのままのイメージが、そこに具現化されていた。

自分は一体今どこにいるのだろう。

マンションを出て、街を散策して、酒を飲んで、そして迷って、けれどもまた正しく帰ってきた。今住んでいる場所に。10年前ではなく、今の場所に。

自分の部屋に。

幻覚ではない。夢でもない。

だとしたらこれは。


……パラレルワールドなのかもしれない……


そんな考えが浮かんだ。

世界は、一瞬一瞬、無限の数の可能性に分岐し続けているという話を聞いたことがあった。

例えば右に行くのか左に行くのか迷い、結果として右に行ったとしても、自分が左を選んだ世界も存在している……そんな話だ。

人は、いや、自分という主観は、一瞬一瞬の選択によって、線路を切り替えるように世界を選びながら生きているということだ。

主観というのは、脳の奥のわずかな挙動によって変化する。量子（りょうし）一個の転げ方で、原子が固定され、それが脳細胞の電気信号を切り替える。そして発生した意識が決断につながる。

そうして自分は次の世界に進む。

しかし、自分が選んだ人生のほんのすぐ隣に、選ばなかった、もしかしたら選ぶべきだった人生が、存在しているのかもしれない。

スマホを見た。変わっていない。履歴を見たが、記憶と相違はない。

さっきまでの世界とこの世界は、客観的にはほとんど変わらないのだろう。自分が彼女と暮らしている、彼女がここにいる、それ以外は。

「外はどうだった？」

「えっ？」

「こんな夜に急に出かけて、いつまでも戻らないから、心配していたのよ」

「ああ……普段と違う街が面白かったから、ずいぶん歩き回ってしまった」

「バカね」

彼女は微笑んだ。

「もう出かけないでね。やっぱり病気はこわいから。空気感染するっていう噂もあるし。それに、ねえどこで飲んでいたの。どのお店もやってなかったでしょうに」

「自販機で……缶ビールとか……」

「まさか道端で？　まあ、若い人みたい」

彼女の笑顔は純粋で、とても可愛らしかった。

あの時のこと、運命が分岐する直前、二人で星を見た夜のことを思い出しているのかもしれない。

これが、本当の人生だったのではないか。そう男は考えた。

一人でひきこもって、気ままな生活を満喫していた。それが幸せだと思い込んでいた。けれど自分が本当に望んでいたのは、このやすらかな空間だったのではないか、と。

手足が汚れていることに気づいて、男はシャワーを浴びることにした。

知らないはずのバスルームだったが、その扱いをなぜか知っている自分に驚いた。シャンプーやボディーソープは、いつも使っているものと変わっていない。

熱い飛沫に身を委ねた。街の匂いが、酒の余韻が、体から流れていく。代わってコーヒーのカフェインが血管を巡り始める。全身の細胞が目覚めていく。

このまま、少しずつ、スムーズにこの世界に入っていく。それもいいだろう。男は思った。

バスルームを出ると、きちんと折りたたまれたタオルやパジャマが準備されていた。目に入るもの肌に触れるもの全てがリアルだった。これは夢ではない。頭はすっかり冴えていた。

素直に、受け入れよう。きっとこれは続く。そしてやがて、さっきまで現実だと思っていたあのひとりぼっちのひきこもり生活の方が、夢だったように感じられ始めるに違いない。それは良いことだろう。

しかし、彼はまた驚かされた。

「そういえばあなた、あの子まだ起きているのよ」

「えっ」

大きな声を出してしまった。

「あの子……って？」

「大介（だいすけ）のことよ？　どうしたの、その顔。自分の子供のこと忘れたなんて言い出すんじゃないわよね」

「子供……」

「ほら天体望遠鏡を買ってあげたじゃない。今夜、流星群が観られるって聞いて、がんばって起きてるの。寝室の外、ベランダにいるわ」

男は立ち上がり、夢遊病者のようにふらふらと歩いた。

子供なんて……。

それは、さっきまでの自分とはあまりにもかけ離れたことだった。

これが現実だと信じる気持ちがまだぐらぐらと揺れていた。

けれども、たとえ夢だとしても、覚める前に、見たかった。その少年を。自分の息子を。

ベランダに面したその部屋は、前の世界でも男の寝室だった。

「電気点けないであげてね、星が見えにくくなるから」

そう言われ後ろ手でドアを閉めた。

月明かりだけになった。ここも、ほんの少しだけ変化していた。ベッドが二人用に、大きなダブルベッドになっていた。

ベランダに出るサッシ窓が開いていた。薄闇に、白い棒状のものがぼんやりと見えた。天体望遠鏡だ。

カーテンが半分閉まっていて、そこにいるはずの人影はちょうど隠れている。

胸がぎゅっとしめつけられた。子供の頃、これがずっと欲しかったのだ。願いはかなえられなかった。

けれどこの世界の自分は子供を持って、そして宝物を買い与えていたのだ。

家庭を持つ。毎日寝て暮らしたり、気が向いたら女を呼んだり、そんなことはできないだろうが、妻や子供と時間を共有する。一緒にコーヒーを飲んだり、映画を観たり、夜空の星を見上げたりしながら、そうして一緒に年を取っていく。やはりこれが、本当の幸せだったのではないか。

自分は無意識のうちにずっとそれを望んでいたのだ。その思いが募って、ついに飛び移ったのだ。隣接した、この世界に。そう確信した。

窓の外に子供の姿を探した。暗い部屋を横切り、窓に歩み寄った。人影がひらりと動いた。と、思ったが、カーテンが風で揺れただけだった。

ベランダはとても暗い。

彼はもう窓ぎわにいた。天体望遠鏡は手すりの角に立てかけられるように置かれて空を狙っていた。その下に、誰かがうずくまっているように見える。

「大介」

自分の息子の名前を初めて呼んだ。そしてサッシのレールをまたいだ。

その時。

「ああっ」

足を下ろした場所に、床がなかった。

予想だにしないことだったから、足を引っ込めることも何かに摑まることも、できなかった。その穴に吸い込まれるように、落ちていった。19階の高さから、地上のアスファルトまで。

部屋の外で様子を窺っていた女は、男の叫び声を聞いてドアを開けた。数秒後、窓の外はるか下方で人体がバウンドしてひしゃげる音を聞いた。

即死を確信した。マンションの19階……いや正しくは「18階」から、舗装された地面に落ちたのだ。

それからマンションの廊下に出た。あたりを確認したが、もちろんこの情勢下で、こんな時刻に、人がいるはずがない。

エレベーターホールの「18」の表示の上に貼った紙をはがした。上の階「19」の表示を写真印刷してリアルに再現した紙だ。

そしてエレベーターに乗り込んだ。全ての階数ボタンの表面を覆っていた薄板を、手早くむしり取っていく。

もとの数字パネルをそっくり真似た液晶製パネルだ。

それぞれの数字の上にこれを貼り付けておいたのだ。「1F」のところに「2F」を、「2F」のところに「3F」を……つまり全て、1階ぶんずらして。

そのせいで最上階部分はブランクになっていたし最下の地下3階は消失していたが、めったに外出せず、上層階や地下階に縁もない男に気づかれるおそれはなかった。

下調べと練習は徹底していた。全ての作業は監視カメラの死角で、かつ、すばやく行うことができた。

男の住む部屋の真下の部屋を借りることができて以来ずっと、10年前にこの男に捨てられなかったら、あの時の子供を産んで育てていたらと、想像をしながら暮らしていた。そのイメージで部屋を作っていた。

その可能性宇宙は、この現実のほんの隣に存在したはずだ。あの男にほんの、原子ひとかけらぶんの優しさがあったら、現実になっていたはずの世界だった。

ベランダの仕掛けは手間がかかった。地上まで何も遮るものがない位置を確認して、床を取り払った。そして部屋からベランダに出る窓の開閉位置を調整した。

思った通りに行動しなかったとしても、コーヒーに仕込んだ薬によって、男がすぐに熟睡することは間違いなかった。ただしその際は女一人で行うにはかなり大変な力仕事が必要になっただろう。


準備を整え、チャンスを待っていた。もう、何年も。

男は夜出かけるのが好きだった。つきあっていた頃、そのせいで夜中に幾度となく呼び出されたものだ。ひきこもるようになってからその行為はなくなっていたが、女はあきらめなかった。男の部屋の玄関ドアの外側に超小型のセンサーを仕掛け、ドアが開いたら自分のところに通知が入るよう設定した。目立たないものだったし、近所の人が見つけていたとしても彼が自分で設置したものと思われているはずだった。

そして息を潜めて、待ち続けた。男が、他の住民の出入りがほとんどない時間帯に外出することを。

ついにその時が来た。さらにこの情勢は、絶好のシチュエーションだった。

夜の街に出かけた男は、酒を飲んで戻ってきた。

男は、当然のように「19」のボタンを押し、当然のように19階に降りた……つもりで、18階に降りていた。

マンションはどのフロアもほとんど同じ構造だ。男は19階13号室だと信じて18階13号室にたどりついた。見慣れた表札が掲げられていたから、疑いもせず、自分の部屋に帰ってきたつもりで、ここに来た。

そして、自分の部屋の窓の、真下の窓から落ちて、死んだ。

もちろん警察は調べるだろうが、男が自分の部屋から飛び降りたと見ることは間違いない。衝動的な自殺と判断されるだろう。


裏返しになった宇宙。その密室内の迷路をくぐり抜けたつもりで、そこから脱出したつもりで、男はもう一つの密室に入り込んでいた。

それは〝もしあの時に二人が一緒になっていたとしたら〟そんな可能性を具現化した小部屋だった。


女はそこに男を閉じ込めた。そして永遠に、自分のものにしたのだ。

あとがき

織守きょうや

星海社のO田さんからお電話で、企画のご説明&ご依頼をいただいたのが、確か2020年5月15日。〆切日を尋ねたところ、「できるだけ早く」という、聞いたことのない回答……このスピード感、これが星海社かと思いつつ、このコロナ禍中の日本を書き、この時期に出すというのは意味あることだ、と感じたのでお引き受けしたのでした。プロット、初稿をお送りしたのがそれぞれ5月16日と5月20日。人間やればできるんだなと思いました。

北山猛邦

これは『あの時』を描いた小説だ。五年後、十年後、世界が滅んでいなければ必ずそうなる。そのつもりで書いた。そして今回の探偵役、綿里外は、僕にとってひと昔前の『あの時』に登場した探偵だ。おそらく卒業写真に彼女の姿はない。けれど時代が変わっても、何十年時が過ぎても、不思議と『あの時』の記憶に彼女がいる。それが綿里外だ。

斜線堂有紀

記憶力の悪さを自覚しています。きっと二年も経てばこの世界の変容を忘れるでしょう。けれど、私は今抱えている思いや世界に起こったことをどうにか忘れたくありませんでした。だからこの小説を書きました。通っていた学校の名前は忘れても、書いた小説のことは忘れません。この瞬間を携えたまま生きていこうと思います。

津田彷徨

新型コロナウイルス感染が世界規模で拡大し、人類の行動様式の転換点となりうる今、医療に携わっている者として今回の作品が皆様の新たな生活におけるわずかな憩いとなりましたら幸いです。

また今回の執筆に際し、かつてご指導下さった法医学講座の先生方、グラム染色道場主様にこの場をお借りし深く御礼申し上げます。

(*「ゴミ箱診療科のミステリー・カルテ」は現在長編を執筆中にて、刊行時は何卒宜しくお願い致します。)

渡辺浩弐

〝世界最小の密室〟は頭蓋骨でしょうか。2020年春、世界中の人々がひきこもりとなったあの異常な期間、僕はずっとその中に閉じこもっていました。

そこでふと「ここは内側ではなく外側ではないか？」と考えたことをきっかけに書き上げたのが、この小説です。

星海社
FICTIONS
ス1-01

ステイホームの密室殺人（みっしつさつじん） 1

コロナ時代（じだい）のミステリー小説（しょうせつ）アンソロジー

2020年8月17日　第1刷発行

定価はカバーに表示してあります

著　者――織守（おりがみ）きょうや　北山猛邦（きたやまたけくに）　斜線堂有紀（しゃせんどうゆうき）
津田彷徨（つだほうこう）　渡辺浩弐（わたなべこうじ）

発行者――太田克史（おおたかつし）

編集担当――太田克史

編集副担当――片倉直弥（かたくらなおや）

発行所――株式会社星海社
〒112-0013 東京都文京区音羽 1-17-14 音羽 YK ビル 4F
TEL 03(6902)1730　FAX 03(6902)1731
https://www.seikaisha.co.jp/

発売元――株式会社講談社
〒112-8001 東京都文京区音羽2-12-21
販売 03(5395)5817　業務 03(5395)3615

印刷所――凸版印刷株式会社

製本所――加藤製本株式会社

ISBN978-4-06-520652-2　N.D.C.913　236p　19cm　Printed in Japan

ステイホームの密室殺人2

コロナ時代のミステリー小説アンソロジー

乙一（『GOTH』）
佐藤友哉（『フリッカー式』）
柴田勝家（『ニルヤの島』）
法月綸太郎（法月綸太郎シリーズ）
日向夏（『薬屋のひとりごと』）
渡辺浩弐（『ゲーム・キッズ』シリーズ）

さらなる
新しい時代の、
さらなる
新しい殺意。

緊急事態宣言からの
「ステイホーム」のかけ声とともに
一瞬で変わってしまった日常を舞台に、
珠玉の才能たちが競演する
オール書き下ろしミステリー小説
アンソロジー第二弾、

2020年9月
刊行予定！

星々の輝きのように、才能の輝きは人の心を明るく満たす。

その才能の輝きを、より鮮烈にあなたに届けていくために全力を尽くすことをお互いに誓い合い、杉原幹之助、太田克史の両名は今ここに星海社を設立します。

出版業の原点である営業一人、編集一人のタッグからスタートする僕たちの出版人としてのDNAの源流は、星海社の母体であり、創業百一年目を迎える日本最大の出版社、講談社にあります。僕たちはその講談社百一年の歴史を承け継ぎつつ、しかし全くの真っさらな第一歩から、まだ誰も見たことのない景色を見るために走り始めたいと思います。講談社の社是である「おもしろくて、ためになる」出版を踏まえた上で、「人生のカーブを切らせる」出版。それが僕たち星海社の理想とする出版です。

二十一世紀を迎えて十年が経過した今もなお、講談社の中興の祖・野間省一がかつて「二十一世紀の到来を目睫に望みながら」指摘した「人類史上かつて例を見ない巨大な転換期」は、さらに激しさを増しつつあります。

僕たちは、だからこそ、その「人類史上かつて例を見ない巨大な転換期」を畏れるだけではなく、楽しんでいきたいと願っています。未来の明るさを信じる側の人間にとって、「巨大な転換期」でない時代の存在などありえません。新しいテクノロジーの到来がもたらす時代の変革は、結果的には、僕たちに常に新しい文化を与え続けてきたことを、僕たちは決して忘れてはいけない。星海社から放たれる才能は、紙のみならず、それら新しいテクノロジーの力を得ることによって、かつてあった古い「出版」の垣根を越えて、あなたの「人生のカーブを切らせる」ために新しく飛翔する。僕たちは古い文化の重力と闘い、新しい星とともに未来の文化を立ち上げ続ける。僕たちは新しい才能が放つ新しい輝きを信じ、それら才能という名の星々が無限に広がり輝く星の海で遊び、楽しみ、闘う最前線に、あなたとともに立ち続けたい。

星海社が星の海に掲げる旗を、力の限りあなたとともに振る未来を心から願い、僕たちはたった今、「第一歩」を踏み出します。

二〇一〇年七月七日

星海社　代表取締役社長　杉原幹之助
代表取締役副社長　太田克史